CONTEN...

REFERENCE

A Road	A38	Car Park (selected)	P
B Road	B5008	Church or Chapel	†
Dual Carriageway		Fire Station	■
One-way Street Traffic flow on A Roads is indicated by a heavy line on the driver's left.	→	Hospital	H
		House Numbers A & B Roads only	57 44
Restricted Access		Information Centre	i
Pedestrianized Road		National Grid Reference	320
Track		Police Station	▲
Footpath		Post Office	★
Residential Walkway		Toilet with facilities for the disabled	▽ ♿
Railway	Station Tunnel Level Crossing	Educational Establishment	⌐
		Hospital or Hospice	⌐
Built-up Area	HIGH STREET	Industrial Building	⌐
		Leisure or Recreational Facility	⌐
Local Authority Boundary		Place of Interest	⌐
Postcode Boundary		Public Building	⌐
		Shopping Centre or Market	⌐
Map Continuation	16	Other Selected Buildings	⌐

Scale

1:19,000

0	¼	½ Mile
0	250	500 750 Metres 1 Kilometre

3⅓ inches (8.47 cm) to 1 mile

5.26 cm to 1km

Geographers' A-Z Map Company Ltd.

Head Office:
Fairfield Road, Borough Green, Sevenoaks, Kent TN15 8PP
Telephone: 01732 781000 (General Enquiries & Trade Sales)

Showrooms:
44 Gray's Inn Road, London WC1X 8HX
Telephone: 020 7440 9500 (Retail Sales)

www.a-zmaps.co.uk

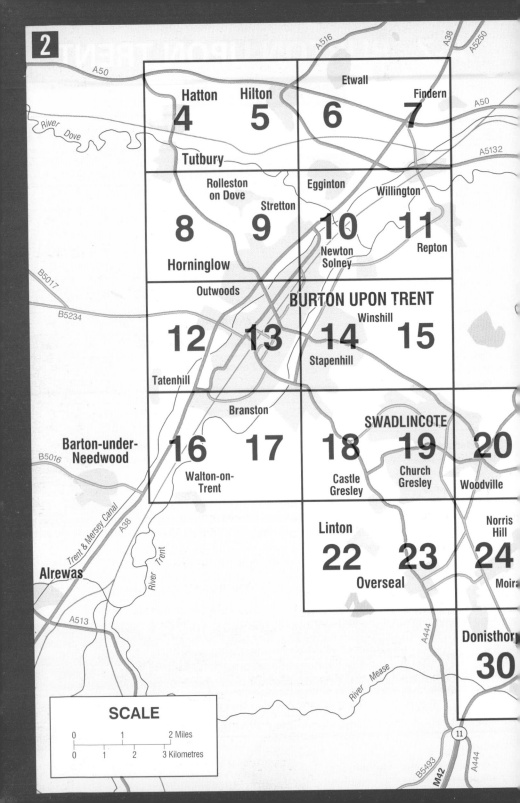

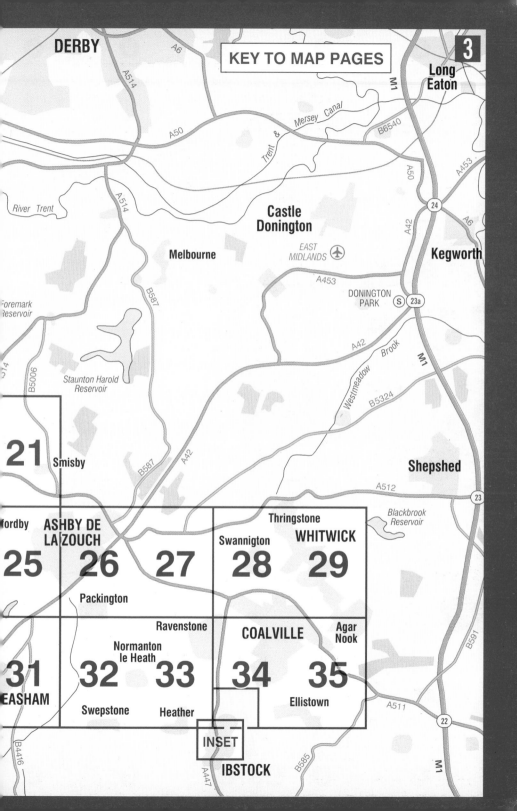

DERBY

Long Eaton

A6

A514

Trent & Mersey Canal

B6540

A50

A50

A453

River Trent

A514

Castle Donington

24

A42

A6

Melbourne

EAST MIDLANDS ✈

Kegworth

A453

Foremark Reservoir

B5006

B587

DONINGTON PARK (S) 23a

A42

Brook

Westmeadow

M1

Staunton Harold Reservoir

B5324

A514

21 Smisby

B587

A42

Shepshed

A512

23

Thringstone

Blackbrook Reservoir

ordby **ASHBY DE LA ZOUCH**

Swannington **WHITWICK**

25 **26** **27** **28** **29**

Packington

Ravenstone

COALVILLE

Agar Nook

Normanton le Heath

B591

31 **32** **33** **34** **35**

EASHAM

Swepstone

Heather

Ellistown

A511

22

B585

M1

B4416

INSET

A447

IBSTOCK

B4416

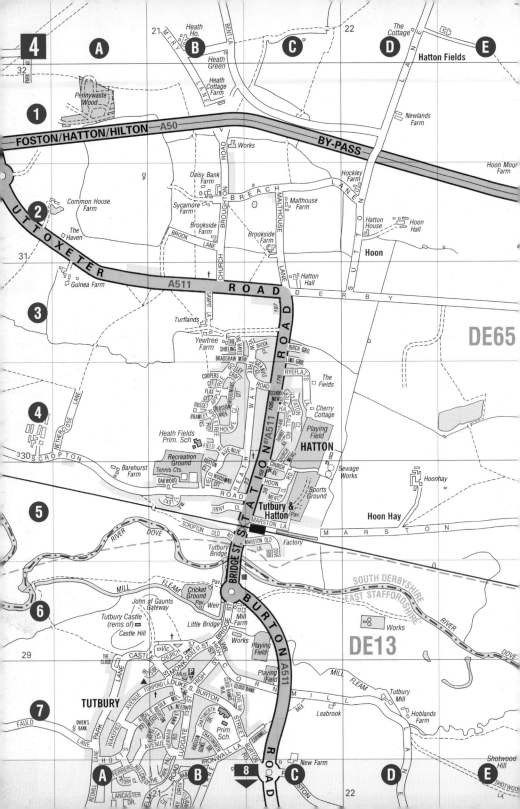

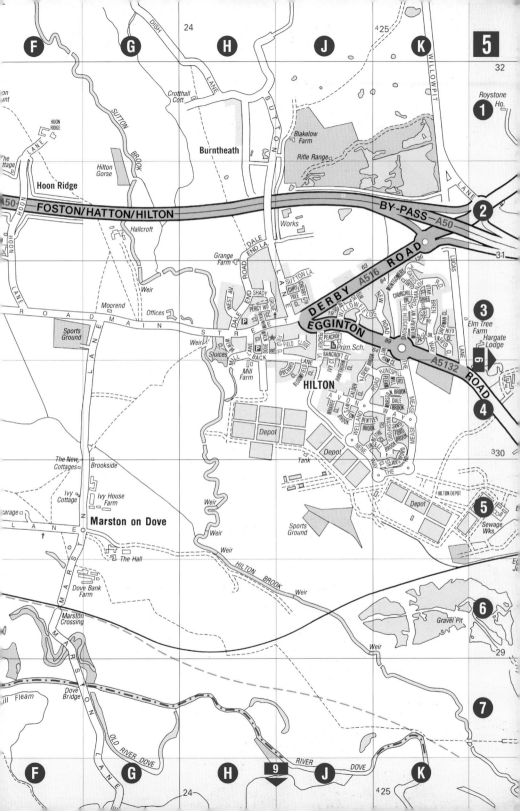

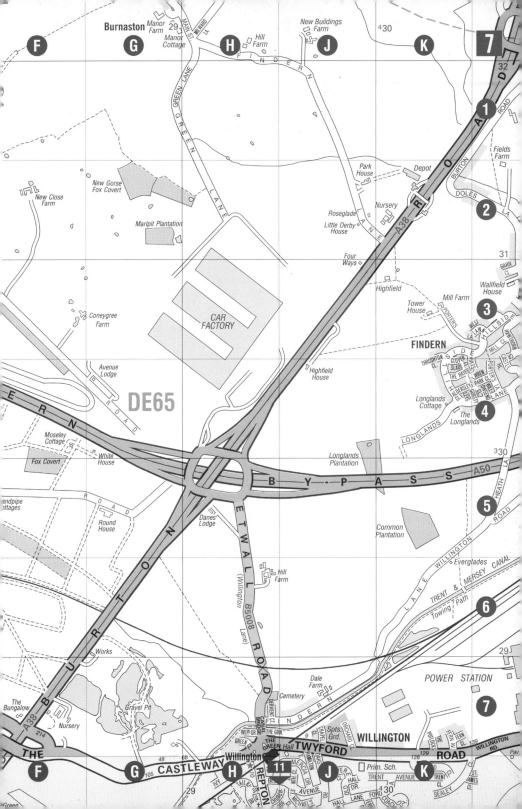

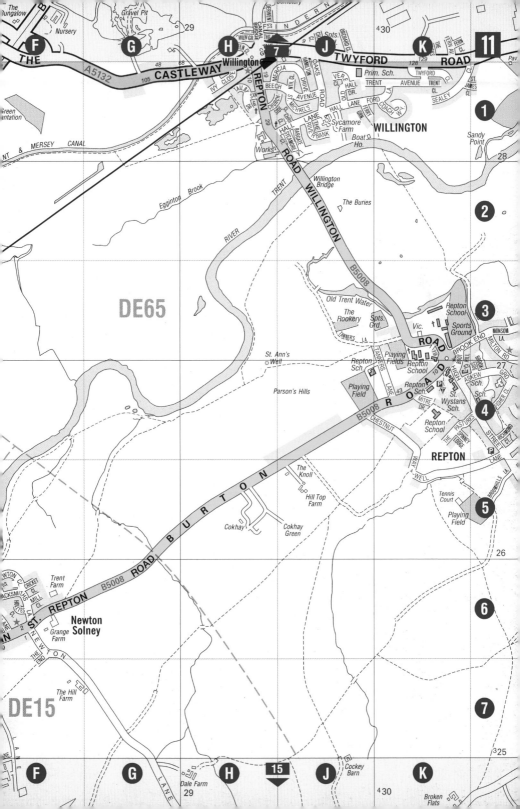

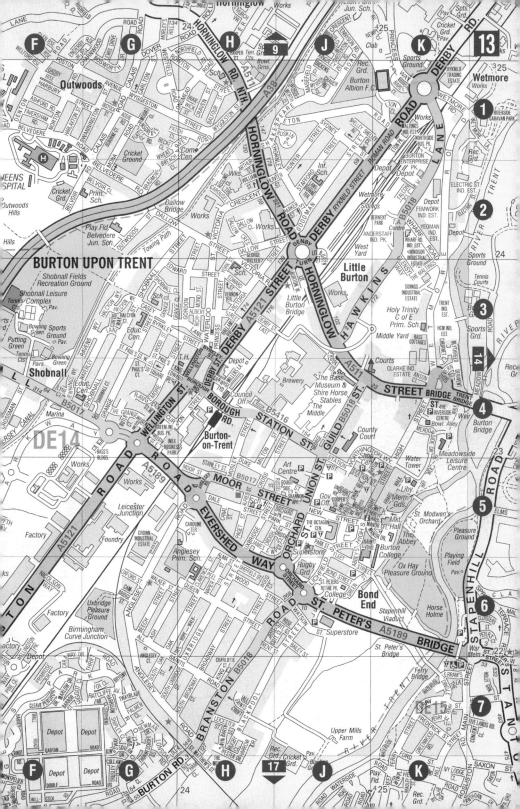

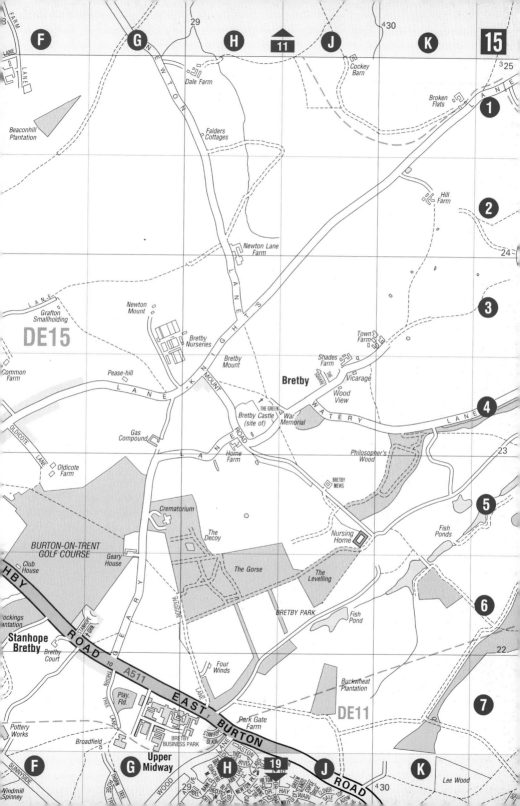

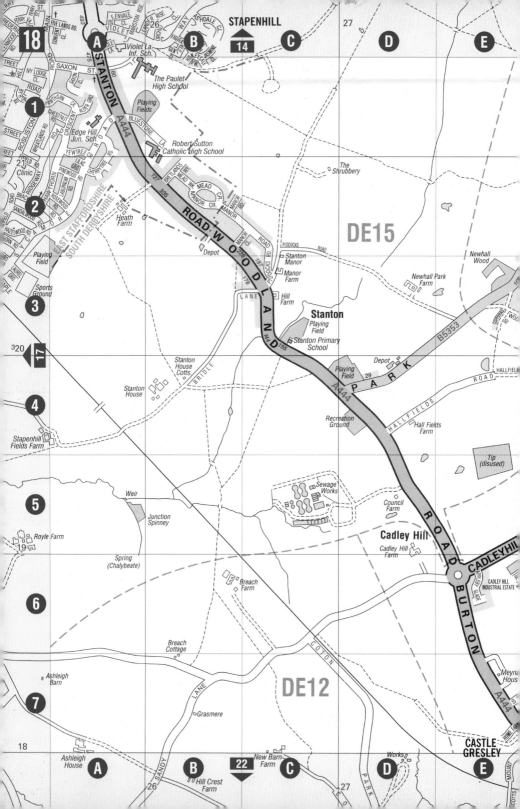

1

2

3

4

5

6

7

Coppice Farm

White Hollows Farm

Archer's Alders　435

Shaw's Alders

Tadsor Farm

Pisternhill Plantation

Heath Farm

21

Ladyfields Plantation

ehouse Dam

The Elms

B5006

Long Alders

Pisternhill Plantation

Daniel Hay Farm

Pistern Hills

Pisternhill Farm

LANE

Sharp's Bottom

Pistern Hill

3
20

Several Wood

Short Hazels Farm

Several Woods Farm

Stables

Heath Farm

Reservoir (covered)

Hartshorne Heath

HEATH

Pistern Hills Farm East

Reservoir (covered)

The Forties

FORTIES　LANE

Park Place

Stonehouse Farm

Hedgefield Farm

Water Tower

Tithe Farm

Mount House

Manor Farm

Smisby

CHAPEL

MAIN

Rose Mount

ROAD

19

217

ROAD

152

Boundary

ASHBY - DE - LA - ZOUCH

Myrtle Lodge Farm

ST.

LE65

PARKS　LANE

OLD

Sewage Works

Woodcote

SMISBY RD

Scam-Hazel Farm

NNWELL

Rose Cottage

Annwell House

ANNWELL PLACE

A511

BY - PASS

Cliftonthorpe

Ginwiskaw Brook

SMISBY

STREET HEATH

Scam-Hazel Wood

Lady Wood

BURTON　ROAD

The Bungalow

Works

CLIFT THORPE WKS

IVANH INDUSTRIAL

Blackfordby

Blackfordby Hall

25

Holywell Farm

IVANHOE INDUSTRIAL ESTATE

Depot

WAY

Depot

Dairy

Newlands

Prestop Park Farm

34

Ingle Hill Farm

435

Works

Depot

18

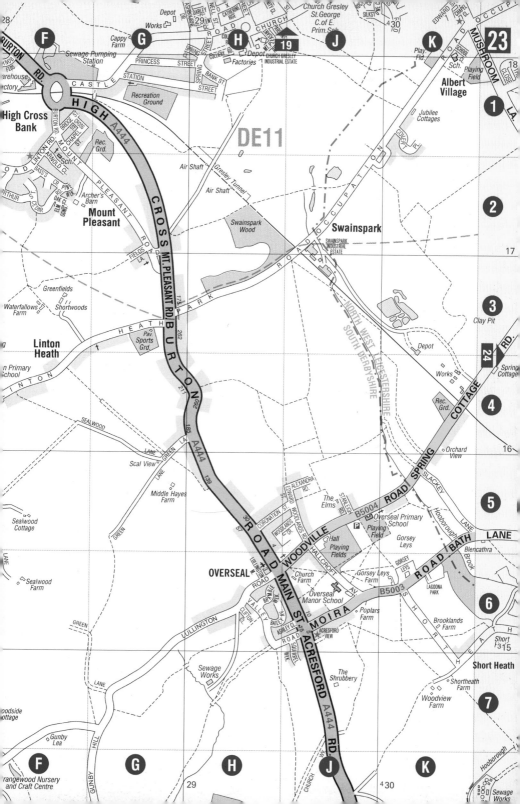

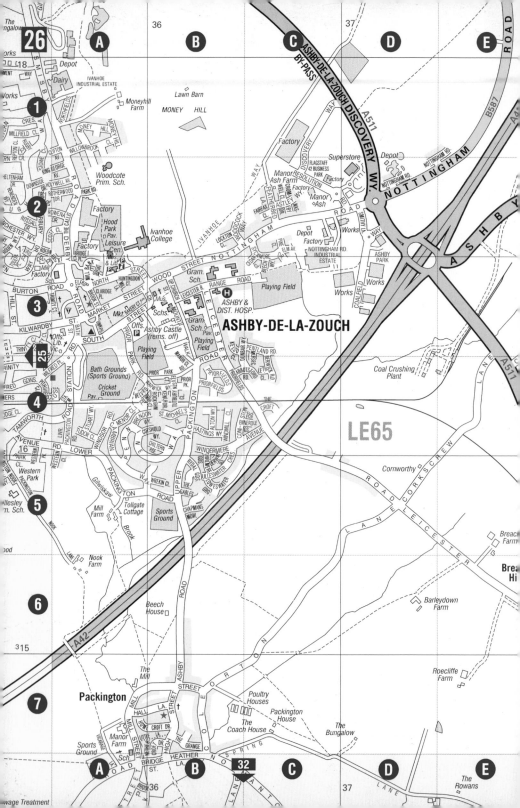

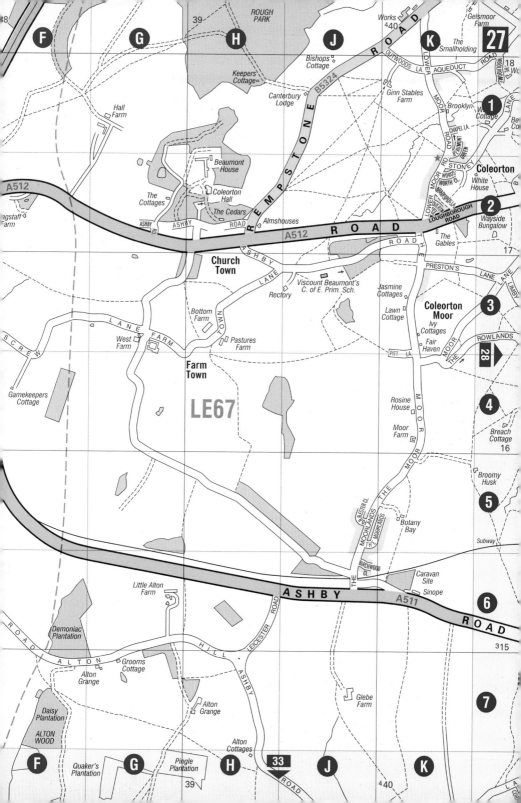

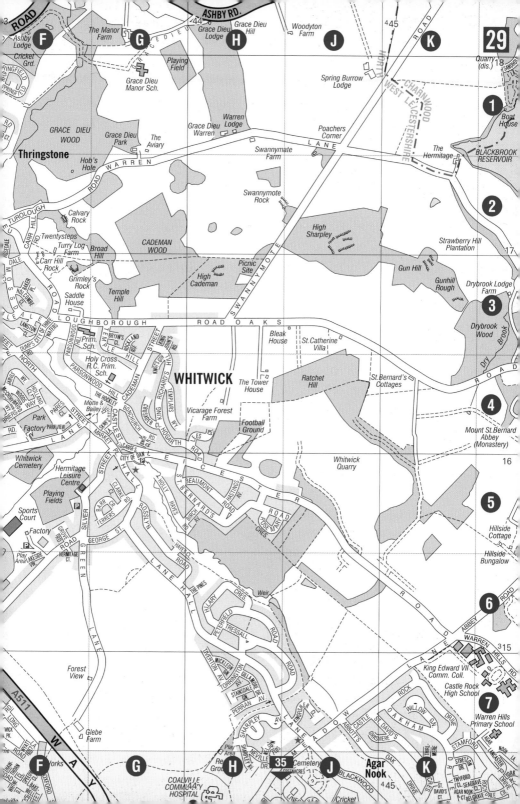

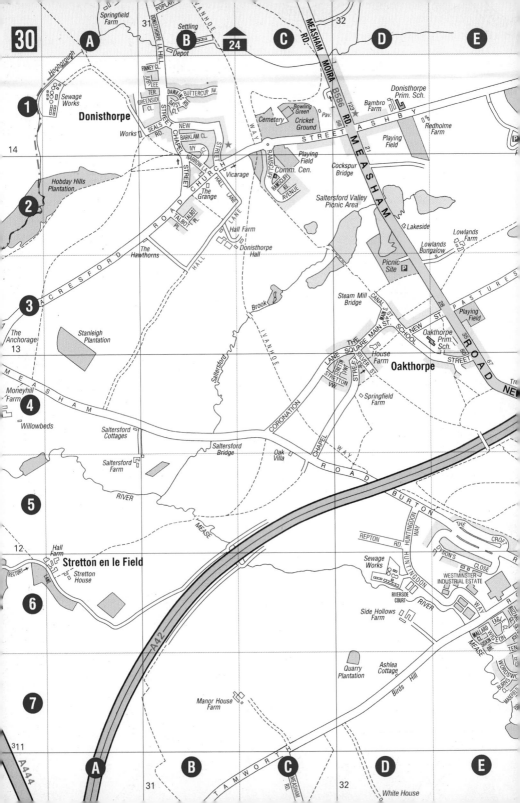

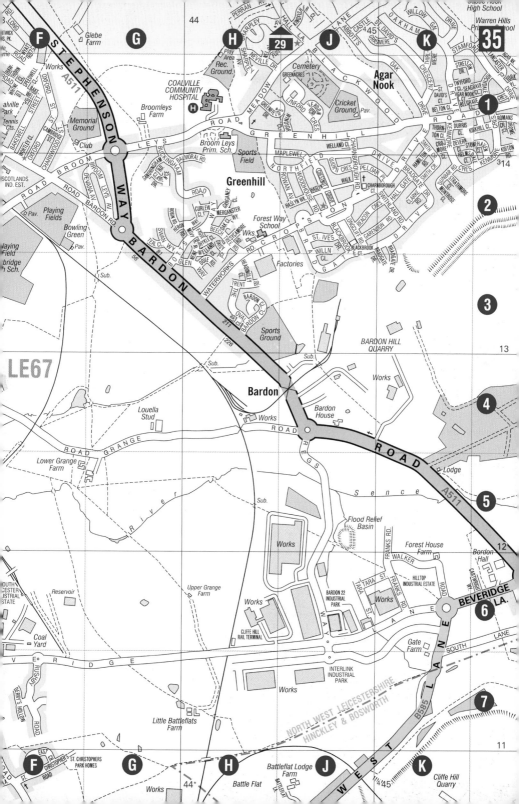

INDEX

Including Streets, Industrial Estates, Selected Subsidiary Addresses and Selected Places of Interest.

HOW TO USE THIS INDEX

1. Each street name is followed by its Posttown or Postal Locality and then by its map reference; e.g. Abbey Dri. *Ash Z* —3J **25** is in the Ashby-de-la-Zouch Posttown is to be found in square 3J on page **25**. The page number being shown in bold type.
A strict alphabetical order is followed in which Av., Rd., St., etc. (though abbreviated) are read in full and as part of the street name; e.g. Ashdale Clo. appears after Ash Dale but before Ash Dri.

2. Streets and a selection of Subsidiary names not shown on the Maps, appear in the index in *Italics* with the thoroughfare to which it is connected shown in brackets; e.g. *Albion Ter. Bur T* —1K **13** (off Derby Rd.)

3. An example of a selected place of interest is *Ashby Castle.* —3B **26** (remains of)

GENERAL ABBREVIATIONS

POSTTOWN AND POSTAL LOCALITY ABBREVIATIONS

INDEX

Aintree Clo. *Bran* —1E **16**
Albert Hall Pl. *Coal* —1K **35**
Albert Rd. *Chur G* —6H **19**
Albert Rd. *Coal* —1E **34**
Albert St. *Bur T* —3H **13**
Albert St. *Ibs* —6B **34**
Albion Clo. *Moi* —5D **24**
Albion St. *W'vle* —6C **20**
Albion Ter. *Bur T* —1K **13**
(off Derby Rd.)
Alderbrook Clo. *Rol D* —2G **9**
Alder Gro. *Bur T* —1A **18**
Alders Brook. *Hilt* —4J **5**
Aldersley Clo. *Find* —4K **7**
Alexandra Ct. *Bur T* —4B **14**
.Alexandra Rd. *Bur T* —4B **14**
Alexandra Rd. *Over* —5J **23**
Alexandra Rd. *Swad* —5J **19**
Alfred St. *Bur T* —5H **13**
Allison Av. *Swad* —5J **19**
All Saints Cft. *Bur T* —7H **13**
All Saints Rd. *Bur T* —6G **13**
Alma Rd. *Newh* —2G **19**
Alma St. *Bur T* —5H **13**
Almond Ct. *Stret* —5K **9**
Almond Gro. *Newh* —3H **19**
Almshouses. *Etw* —1C **6**
Althorp Way. *Stret* —6J **9**
Alton Hill. *R'stn* —7F **27**
Alton Way. *Ash Z* —4B **26**
Amberlands. *Stret* —5A **10**
Amberwood. *Newh* —3H **19**
Amersham Way. *Mea* —4E **30**
Anchor La. *Cole* —1B **28**
Anderby Gdns. *Chur G* —6G **19**
Anderstaff Ind. Pk. *Bur T* —2J **13**
Anglesey Ct. *Bur T* —6G **13**
Anglesey Rd. *Bur T* —6G **13**
Anglesey St. *Bur T* —4E **12**
Annwell La. *Smis* —7H **21**
Anslow La. *Rol D* —4F **9**
Anson Ct. *Bur T* —4K **13**
Appleby Glade. *Cas G* —6E **18**
Appleby Glade Ind. Est. *Swad* —6F **19**
Appleton Clo. *Newh* —2G **19**
Appletree Rd. *Hatt* —4B **4**
Aqueduct Rd. *Cole* —1K **27**
Argyle St. *Ibs* —6B **34**
Arnold Clo. *Cas G* —2F **23**
Arnot Rd. *Bran* —7F **13**
Arnside Clo. *Chur G* —7K **19**
Arthurs Ct. *Stret* —4K **9**
Arthur St. *Bur T* —2H **13**
Arthur St. *Cas G* —2F **23**
Ascot Clo. *Bur T* —4B **14**
Ascott Dri. *Newh* —1H **19**
Ashbourne Dri. *Cas G* —7G **19**
Ashbrook. *Bur T* —6B **14**
Ashburton Rd. *Hug* —3C **34**
Ashby Castle. —3B **26**
(remains of)
Ashby-de-la-Zouch By-Pass. *B'dby & Ash Z*
—6G **21**
Ashby-de-la-Zouch Museum. —3A **26**
Ashby La. *B'dby* —7F **21**
Ashby La. *Swep* —7C **32**
Ashby Pk. *Ash Z* —2D **26**
Ashby Rd. *Ash Z & Cole* —3E **26**
(in two parts)
Ashby Rd. *Bur T & Bret* —4A **14**
Ashby Rd. *Cole* —6J **27**
Ashby Rd. *Doni* —1D **30**
Ashby Rd. *Ibs* —6A **34**
(in two parts)
Ashby Rd. *Mea* —4G **31**
Ashby Rd. *Moi* —5C **24**
Ashby Rd. *Pack* —7B **26**
Ashby Rd. *R'stn* —7H **27**
Ashby Rd. *Thri* —1D **28**
Ashby Rd. *W'vle & B'dry* —6D **20**
Ashby Rd. E. *Bret* —6F **15**
Ashdale. *Ibs* —7A **34**
Ash Dale. *Thri* —2E **28**
Ashdale Clo. *Bur T* —7B **14**

Ash Dri. *Mea* —4F **31**
Ashfield Dri. *Moi* —3E **24**
Ashford Rd. *Bur T* —1F **13**
Ashford Rd. *Whit* —4E **28**
Ash Gro. La. *Egg* —7D **6**
Ashland Dri. *Coal* —7B **28**
Ash La. *Etw* —6B **6**
Ashleigh Av. *Newh* —3G **19**
Ashley Clo. *Bur T* —4B **14**
Ashley Clo. *Over* —6J **23**
Ashley Ct. *Bur T* —4B **14**
Ashover Rd. *Newh* —3F **19**
Ash St. *Bur T* —6G **13**
Ash Tree Clo. *Newh* —2G **19**
Ash Tree Rd. *Hug* —3C **34**
Ash Vw. Clo. *Etw* —1C **6**
Ashworth Av. *Bur T* —5D **14**
Askew Gro. *Rep* —4K **11**
Aspen Clo. *Mea* —4F **31**
Aspen Clo. *R'stn* —7B **28**
Aspens Hollow. *Thri* —2E **28**
Astil St. *Bur T* —6A **14**
Astley Way. *Ash Z* —2C **26**
Aston Dri. *Newh* —7H **15**
Atherstone Rd. *Mea* —6F **31**
Athlestan Way. *Stret* —4G **9**
Atkinson Rd. *Ash Z* —2J **25**
Atlas Ct. *Coal* —7E **28**
Atlas Ho. *Coal* —1D **34**
Atlas Rd. *Coal* —7E **28**
Audens Way. *Mid* —2K **19**
Aults Clo. *Find* —4K **7**
Avenue Rd. *Ash Z* —4K **25**
Avenue Rd. *Coal* —2E **34**
Averham Clo. *Swad* —5H **19**
Aviation La. *Bur T* —3B **12**
Avon Clo. *Swad* —2J **19**
Avon Way. *Bur T* —6B **14**
Avon Way. *Hilt* —4J **5**

Babbington Clo. *Tut* —1B **8**
Babelake St. *Pack* —2A **32**
Back La. *Hilt* —3H **5**
Bailey Av. *Over* —6H **23**
Bailey St. *Bur T* —6J **13**
Baker Av. *Ash Z* —4J **25**
Baker St. *Bur T* —1K **17**
Baker St. *Coal* —7D **28**
Baker St. *Swad* —5K **19**
Bakery Ct. *Ash Z* —3A **26**
Bakewell Ct. *Coal* —1F **35**
Bakewell Grn. *Newh* —3F **19**
Bakewells La. *Cole* —2A **28**
Bakewell St. *Coal* —1F **35**
Balfour St. *Bur T* —1H **13**
Balmoral Rd. *Bur T* —4B **14**
Balmoral Rd. *Coal* —2G **35**
Baltimore Clo. *Newh* —1H **19**
Bamborough Clo. *Stret* —7J **9**
Bamburgh Clo. *Ash Z* —4A **26**
Bancroft Clo. *Hilt* —3J **5**
Bancroft, The. *Etw* —1C **6**
Bank Passage. *Swad* —5J **19**
Bank St. *Cas G* —1H **23**
Bank Wlk. *Bur T* —6G **9**
Bardolph Clo. *Swad* —5G **19**
Bardon Clo. *Coal* —3H **35**
Bardon Rd. *Coal & Bar H* —2G **35**
Bardon 22 Ind. Pk. *Elli* —6J **35**
Bargate La. *Will* —1J **11**
Barklam Clo. *Doni* —1B **30**
Barley Clo. *Bur T* —1K **13**
Barleycorn Clo. *Bur T* —6B **14**
Barn Clo. *Find* —3K **7**
Barr Cres. *Whit* —5G **29**
Barrington Clo. *Stret* —5H **9**
Barton St. *Bur T* —7H **13**
Baslow Grn. *Newh* —3F **19**
Bass Cotts. *Bur T* —3K **13**
Bass Museum, The. —4J **13**
(Shire Horse Stables)
Bass's Bldgs. *Bur T* —4G **13**
Bass's Cres. *Cas G* —2F **23**

Bath Grounds. —4A **26**
(Sports Ground)
Bath La. *Moi* —5K **23**
Bath St. *Ash Z* —3A **26**
Battleflat La. *Elli* —7J **35**
Battlestead Hill Nature Reserve. —7B **12**
Beacon Cres. *Coal* —2J **35**
Beacon Dri. *Rol D* —3G **9**
Beacon Rd. *Rol D* —4B **9**
Beaconsfield Rd. *Bur T* —7F **9**
Beadmans Corner. *R'stn* —1A **34**
Beam Clo. *Bur T* —6F **9**
Beamhill Rd. *A'lw & Bur T* —6D **8**
Beards Rd. *Newh* —2H **19**
Bearwood Hill Rd. *Bur T* —4A **14**
Beaufort Rd. *Bur T* —6B **14**
Beaumont Av. *Ash Z* —3J **25**
Beaumont Grn. *Cole* —1K **27**
Beaumont Rd. *Whit* —5H **29**
Becket Clo. *Bur T* —1G **13**
Bedale Clo. *Coal* —2D **34**
Bedford Rd. *Bur T* —1J **17**
Beech Av. *R'stn* —2K **33**
Beech Av. *Stret* —6A **10**
Beech Av. *Will* —1H **11**
Beech Dri. *Etw* —1D **6**
Beech Dri. *Stret* —6K **9**
Beech Dri. *W'vle* —6E **20**
Beech Gro. *Newh* —1G **19**
Beech La. *Stret* —5K **9**
(in two parts)
Beech St. *Bur T* —6G **13**
Beech Tree Rd. *Coal* —2H **35**
Beech Way. *Ash Z* —3C **26**
Beech Way. *Ibs* —6A **34**
Beehive Av. *Moi* —5D **24**
Bee Hives, The. *Newh* —1H **19**
Belcher Clo. *Heat* —7G **33**
Belfield Ct. *Etw* —2C **6**
Belfield Rd. *Etw* —2C **6**
Belfield Rd. *Swad* —4J **19**
Belfield Ter. *Etw* —2D **6**
Belfry, The. *Stret* —5H **9**
Belgrave Clo. *Coal* —1K **35**
Bell La. *Harts* —5D **20**
Bells End Rd. *Walt T* —7C **16**
Belmont Dri. *Coal* —7B **28**
Belmont St. *Swad* —4K **19**
Belmot Rd. *Need & Tut* —3A **8**
Belton Clo. *Coal* —1K **35**
Belvedere Rd. *Bur T* —1F **13**
Belvedere Rd. *W'vle* —6C **20**
Belvoir Clo. *Bur T* —2G **13**
Belvoir Cres. *Newh* —2H **19**
Belvoir Dri. *Ash Z* —4A **26**
Belvoir Rd. *Bur T* —2F **13**
Belvoir Rd. *Coal* —1D **34**
Bend Oak Dri. *Bur T* —3D **14**
Benenden Way. *Ash Z* —2K **25**
Bent La. *Chur B* —1B **4**
Bentley Brook. *Hilt* —4J **5**
Bentley Dale. *Harts* —5D **20**
Beowulf Covert. *Stret* —5G **9**
Beresford Dale. *Chur G* —6G **19**
Bernard Clo. *Ibs* —7B **34**
Bernard Ct. *W'vle* —5A **20**
Bernard St. *W'vle* —5A **20**
Berrisford St. *Coal* —2D **34**
Berry Clo. *R'stn* —7B **28**
Berry Gdns. *Bur T* —3D **14**
Berry Hedge La. *Bur T* —3D **14**
Berryhill La. *Don H* —4C **34**
Berwick Rd. *Ash Z* —4C **26**
Best Av. *Bur T & Stape* —6C **14**
Beveridge La. *Elli & Bar H* —7F **35**
Beverley Rd. *Bran* —1E **16**
Birch Av. *Newh* —1G **19**
Birch Av. *Whit* —5H **29**
Birch Clo. *Bran* —7F **13**
Birches Clo. *Stret* —6J **9**
Birchfield Rd. *Bur T* —2K **17**
Birch Gro. *Hatt* —3C **4**
Birchwood Clo. *Cole* —6J **27**
Birkdale Av. *Bran* —7F **17**

Dale End Rd.—Flagstaff 42 Bus. Pk.

Dale End Rd. *Hilt* —3H **5**
Dalefield Dri. *Swad* —5J **19**
Dales Clo. *Newh* —3F **19**
Daleside. *Bur T* —6C **14**
Dale St. *Bur T* —5H **13**
Dalkeith Wlk. *Thri* —1E **28**
Dallow Clo. *Bur T* —2H **13**
Dallow Cres. *Bur T* —2H **13**
Dallow St. *Bur T* —2G **13**
Dalston Rd. *Newh* —3H **19**
Dalton Av. *Stape* —5C **14**
Dame Paulet Wlk. *Bur T* —5J **13**
Darklands La. *Swad* —4H **19**
Darklands Rd. *Swad* —4J **19**
Dark La. *Tat* —6A **12**
Darley Clo. *Cas G* —7H **19**
Darley Clo. *Stape* —6D **14**
Darley Dale. *Chur G* —6G **19**
Darwin Clo. *Stape* —6D **14**
Davis Rd. *Swad* —4J **19**
Dawkins Rd. *Doni* —1B **30**
Daybell Rd. *Moi* —5D **24**
Dayton Clo. *Coal* —7B **28**
Deepdale Clo. *Bur T* —2C **14**
Deepdale Clo. *Ibs* —6B **34**
De Ferrers Cft. *Stret* —6H **9**
Degens Way. *Hug* —3C **34**
Delhi Clo. *Bur T* —4D **14**
Denbigh Clo. *Stret* —7J **9**
Denby Turn. *Bur T* —2J **13**
Dennis St. *Hug* —4E **34**
Denstone Clo. *Ash Z* —1K **25**
Denton Ri. *Bur T* —7F **9**
Denton Rd. *Bur T* —1F **13**
Derby Rd. *Ash Z* —2A **26**
Derby Rd. *B'dby* —1H **21**
Derby Rd. *Bur T & Stret* —2J **13**
Derby Rd. *Hatt* —3C **4**
Derby Rd. *Hilt & Etw* —3J **5**
Derby Rd. *Swad* —4K **19**
Derby Southern By-Pass. *Hilt & Etw* —2A **6**
Derby St. *Bur T* —4H **13**
Derby St. S. E. *Bur T* —3H **13**
Derry's Hollow. *Elli* —7F **35**
De Ruthyn Clo. *Moi* —5D **24**
Derwent Clo. *Bur T* —4K **13**
Derwent Clo. *Cas G* —7H **19**
Derwent Ct. *Will* —7H **7**
Derwent Gdns. *Ash Z* —5B **26**
Derwent Pk. *Bur T* —2K **13**
Derwent Rd. *Bur T* —6B **14**
Devana Av. *Coal* —2G **35**
Deveron Clo. *Coal* —1K **35**
Deveron Clo. *Stret* —5H **9**
Devon Clo. *Bur T* —2K **17**
Devon Clo. *Moi* —3F **25**
Dibble Rd. *Bran* —1F **17**
Dickens Clo. *Bur T* —1J **13**
Dickens Dri. *Swad* —3K **19**
Dingle, The. *Bur T* —7K **13**
Dinmore Grange. *Harts* —2E **20**
Discovery Golf & Leisure. —1B **34**
(Pitch & Putt Course)
Discovery Way. *Ash Z* —2C **26**
Dish La. *Hilt* —1G **5**
Dodslow Av. *Rol D* —3G **9**
Doles La. *Find* —2K **7**
Dominion Rd. *Swad* —3J **19**
Donington Dri. *Ash Z* —4K **19**
Donington le Heath Manor House. —4D **34**
Donisthorpe La. *Moi* —6A **24**
Donithorne Clo. *Bur T* —7H **9**
Dorset Clo. *Bur T* —2K **17**
Dorset Dri. *Moi* —3F **25**
Douglas Dri. *Ibs* —7B **34**
Dovecliff Cres. *Stret* —4A **10**
Dovecliff Rd. *Rol D & Stret* —2K **9**
Dove Clo. *W'vle* —5C **20**
Dovedale Clo. *Bur T* —3B **14**
Dove Gro. *Egg* —1B **10**
Dove Lea. *Rol D* —2G **9**
Dover Ct. *Bur T* —7H **9**
Doveridge Rd. *Bur T* —5C **14**
Dove Ri. *Hilt* —3H **5**

Dove Rd. *Coal* —3H **35**
Dover Rd. *Bur T* —7G **9**
Dove Side. *Hatt* —5C **4**
Dove Vw. *Tut* —7B **4**
Downside Dri. *Ash Z* —2K **25**
Drayton St. *Swad* —4K **19**
Drift Clo. *B'dby* —1E **24**
Drift Side. *B'dby* —2E **24**
Drive, The. *Bur T* —7H **9**
Drome Clo. *Coal* —1K **35**
Dryden Clo. *Mea* —6F **31**
Duchy Clo. *Stret* —6K **9**
Duck St. *Egg* —1B **10**
Duke St. *Bur T* —5H **13**
Duke St. *Tut* —7B **4**
Dumps Rd. *Whit* —3F **29**
Dunbar Rd. *Coal* —2K **35**
Dunbar Way. *Ash Z* —3B **26**
Dundee Rd. *Mid* —3A **20**
Dunedin Cres. *Bur T* —5D **14**
Dunnsmoor La. *Harts* —1A **20**
Dunsmore Way. *Mid* —3A **20**
Dunstall Brook. *Bur T* —6B **14**
Durban Clo. *Bur T* —4D **14**
Durham Clo. *Mid* —3B **20**
Durris Clo. *Coal* —1K **35**
Dyson's Clo. *Mea* —6E **30**

Eagle Clo. *Mea* —6E **30**
Eagle Heights. *Bur T* —4E **14**
Earls Ct. *Stret* —6J **9**
East Cres. *Elli* —7F **35**
E. End Dri. *Swad* —4K **19**
Eastern Av. *Bur T* —6A **10**
Eastfield Rd. *Mid* —2K **19**
East La. *Bar H* —6K **35**
East Lawn. *Find* —3K **7**
East St. *Bur T* —4C **14**
East Wlk. *Ibs* —7B **34**
Eaton Clo. *Hatt* —4C **4**
Edgecote Dri. *Newh* —1H **19**
Edinburgh Way. *Stret* —6J **9**
Edmonton Pl. *Bur T* —4E **14**
Edward St. *Alb V* —7K **19**
Edward St. *Bur T* —3G **13**
Edward St. *Harts* —5D **20**
Edward St. *Over* —5J **23**
Egginton Rd. *Etw* —4C **6**
(in two parts)
Egginton Rd. *Hilt* —3J **5**
Eighth Av. *Bur T* —7E **12**
Eldon St. *Bur T* —4C **14**
Electric St. *Bur T* —2K **13**
Electric St. Ind. Est. *Bur T* —2K **13**
Elford St. *Ash Z* —3A **26**
Elgin Wlk. *Thri* —1E **28**
Elizabeth Av. *Ibs* —6B **34**
Elizabeth Av. *Rol D* —3G **9**
Elm Av. *Ash Z* —2C **26**
Elm Clo. *Bran* —7E **12**
Elm Clo. *Ibs* —6A **34**
Elm Dri. *Hilt* —3J **5**
Elm Gro. *Moi* —3E **24**
Elmhurst. *Egg* —1B **10**
Elmsdale Rd. *Harts* —5D **20**
Elms Gro. *Etw* —2D **6**
Elmsleigh Clo. *Mid* —2J **19**
Elmsleigh Dri. *Mid* —2J **19**
Elmsleigh Grn. *Mid* —2J **19**
Elms Rd. *Bur T* —5A **14**
Elsdon Clo. *Whit* —4E **28**
Elstead La. *B'dby* —7E **20**
Elvaston Ct. *Ash Z* —4B **26**
Elwyn Clo. *Stret* —5J **9**
Ely Clo. *Mid* —2A **20**
Emery Clo. *L'tn* —4E **22**
Empire Rd. *Bur T* —4E **14**
Enderby Ri. *Bur T* —7F **9**
End, The. *Newt S* —6F **11**
Enfield Clo. *Hilt* —3K **5**
Ennerdale Gdns. *Ash Z* —4C **26**
Epsom Clo. *Bran* —1E **16**
Ernest Hall Way. *Swad* —4K **19**

Escolme Clo. *Swad* —4A **20**
Essex Rd. *Bur T* —2J **17**
Eton Clo. *Ash Z* —1K **25**
Eton Clo. *Bur T* —1K **13**
Eton Pk. *Bur T* —1K **13**
Eton Rd. *Bur T* —1J **13**
Etta's Way. *Etw* —1C **6**
Etwall By-Pass. *Etw* —1B **6**
Etwall Leisure Cen. —1C **6**
Etwall Rd. *Egg* —5C **6**
Etwall Rd. *Will* —5H **7**
Eureka Rd. *Mid* —3K **19**
Evergreens, The. *Stret* —6A **10**
Evershed Way. *Bur T* —5H **13**
Exeter Clo. *Mid* —2B **20**
Exmoor Clo. *Elli* —6E **34**
Eyam Clo. *Bur T* —5C **14**
Eyrie, The. *Bur T* —4D **14**

Fabis Clo. *Swad* —5H **19**
Fairfax Clo. *Ash Z* —2C **26**
Fairfield. *Ibs* —7B **34**
Fairfield Av. *Rol D* —2J **9**
Fairfield Ct. *Hug* —4D **34**
Fairfield Cres. *Newh* —3F **19**
Fairfield Rd. *Hug* —4D **34**
Fairfield Ter. *W'vle* —5C **20**
Fairham Rd. *Stret* —5A **10**
Fairway. *Bran* —2G **17**
Fairway, The. *Newh* —3F **19**
Falaise Way. *Hilt* —3K **5**
Falcon Clo. *Bur T* —2K **13**
Falcon Way. *W'vle* —5C **20**
Faldo Clo. *Bran* —2G **17**
Faraday Av. *Stret* —6J **9**
Farm Clo. *Bur T* —7G **9**
Farm Ct. Flats. *Bur T* —7H **9**
(off Farm Rd.)
Farm La. *Don H* —4C **34**
Farm La. *Newt S* —7E **10**
Farm Rd. *Bur T* —7H **9**
Farm Side. *Newh* —3G **19**
Farm Town La. *Cole* —3G **27**
Farndale. *Whit* —3E **28**
Fauld La. *Tut* —7A **4**
Faversham Rd. *Bur T* —1F **13**
Featherbed La. *Ash Z* —2C **26**
Femwork Ind. Est. *Bur T* —2K **13**
Fenton Av. *B'dby* —7E **20**
Fenton Clo. *Mea* —7E **30**
Fenton Cres. *Mea* —7F **31**
Fern Av. *Will* —7K **7**
Fern Clo. *Will* —7K **7**
Ferndale. *Ibs* —7A **34**
Ferrers Av. *Tut* —1A **8**
Ferrers Clo. *Ash Z* —4J **25**
Ferrers Rd. *Whit* —5G **29**
Ferry Grn. *Will* —1J **11**
Ferry St. *Bur T* —1K **17**
Ferry Va. Clo. *Bur T* —7K **13**
Festival Rd. *Bran* —1D **16**
Fettes Clo. *Ash Z* —1K **25**
Fiddler's La. *Tut* —3D **8**
Field Av. *Hatt* —4B **4**
Field Clo. *Bur T* —7F **9**
Field Clo. *Hilt* —3J **5**
Field Clo. *Thri* —2E **28**
Field Dri. *Rol D* —2G **9**
Field La. *Bur T* —7F **9**
Field La. *Cas G* —6F **21**
Field Ri. *Bur T* —7F **9**
Fifth Av. *Bur T* —5F **13**
Finch Clo. *W'vle* —5C **20**
Findern La. *Burna* —1H **7**
Findern La. *Will* —7H **7**
Finney Clo. *Doni* —1B **30**
First Av. *Bur T* —7D **12**
Fir Tree Wlk. *Moi* —3E **24**
Fisher Clo. *Rep* —4K **11**
Fishpond La. *Egg* —1B **10**
Fishpond La. *Tut* —7A **4**
Five Lands Rd. *Bur T* —7A **14**
Flagstaff 42 Bus. Pk. *Ash Z* —2C **26**

Flatts Clo. *Bur T* —1G **13**
Flax Cft. *Hatt* —4B **4**
Fleet St. *Bur T* —5J **13**
Fletches, The. *Stret* —5G **9**
Floret Clo. *R'stn* —7B **28**
Foan Hill. *Swan* —5C **28**
Fontwell Rd. *Bran* —1E **16**
Fordice Clo. *Hug* —3D **34**
Ford La. *Will* —1J **11**
Ford St. *Bur T* —1K **17**
Forest Rd. *Bur T* —2C **12**
Forest Rd. *Coal* —3E **34**
Forge La. *Stret* —4A **10**
Forman Clo. *Swad* —4J **19**
Formans Way. *R'stn* —7B **28**
Forrester Clo. *Cole* —5J **27**
Forties La. *Smis* —4J **21**
Fosbrooke Clo. *R'stn* —2K **33**
Foster Rd. *W'vle* —6C **20**
Foston Av. *Bur T* —1F **13**
Foston Clo. *Hatt* —5B **4**
Foston/Hatton/Hilton By-Pass. *Hatt & Fos*
—1A **4**
Fourth Av. *Bur T* —5E **12**
Fox Clo. *Bran* —7G **13**
Foxglove Av. *Bur T* —7B **14**
Foxglove Rd. *Coal* —2H **35**
Franklin Clo. *Stape* —6C **14**
Franks Rd. *Bar H* —6K **35**
Frearson Rd. *Hug* —3C **34**
Frederick St. *Bur T* —7K **13**
Frederick St. *W'vle* —5B **20**
Friars Wlk. *Bur T* —5K **13**
Friary Cft. *Newh* —1H **19**
Fulton Dri. *Coal* —7B **28**
Furnace La. *Moi* —6B **24**
Furnace La. Ind. Est. *Moi* —6B **24**
Fyfield Rd. *Bur T* —2K **17**

Gables, The. *Ash Z* —5B **26**
Gables, The. *Newh* —3F **19**
Gainsborough Way. *Bur T* —4C **14**
Galahad Dri. *Stret* —4K **9**
Gallows La. *Mea* —7H **31**
Gamble Clo. *Ibs* —5B **34**
Garden Rd. *Coal* —7F **29**
Garendon Rd. *Coal* —2J **35**
Garfield Rd. *Hug* —3D **34**
Garganey Clo. *Coal* —2H **35**
Gartan Rd. *Bran* —7F **13**
Gatcombe Clo. *Stret* —5J **9**
Gawain Gro. *Stret* —4K **9**
Geary Clo. *Whit* —4E **28**
Geary La. *Bret* —6G **15**
Gelsmoor Rd. *Cole* —1A **28**
Genista Clo. *Bur T* —7B **14**
George Holmes Bus. Pk. *Swad* —5G **19**
George Holmes Way. *Swad* —4G **19**
George St. *Bur T* —4J **13**
George St. *Chur G* —6H **19**
George St. *Whit* —5G **29**
George Walker Ct. *Bur T* —2H **13**
Gerard Gro. *Etw* —1D **6**
Gillamore Dri. *Whit* —7H **29**
Gladstone St. *Ibs* —7B **34**
Glamis Clo. *Stret* —6J **9**
Glebe Clo. *Rol D* —2F **9**
Glebe Rd. *Thri* —1D **28**
Glebe St. *Swad* —5J **19**
Glebe Vw. *Coal* —7A **28**
Glenalmond Clo. *Ash Z* —2K **25**
Glen Av. *Ibs* —7C **34**
Glencroft Clo. *Bur T* —1G **17**
Gleneagles Dri. *Stret* —5H **9**
Glenfield Ri. *Bur T* —7F **9**
Glen Ri. *Bur T* —7F **9**
Glensyl Way. *Bur T* —3K **13**
Glen Way. *Coal* —3H **35**
Gloucester Way. *Bur T* —6C **14**
Gold Pl. *W'vle* —4B **20**
Golf Course. —6E **28**
Goliath Rd. *Coal* —7E **28**
Goodman St. *Bur T* —2J **13**

Goodwood Clo. *Stret* —5H **9**
Gordon St. *Bur T* —3H **13**
Gorse La. *Moi* —3B **24**
Gorse Rd. *Hug* —4D **34**
Gorsey Leys. *Over* —6K **23**
Gorsty Leys. *Find* —4K **7**
Goseley Av. *Harts* —4D **20**
Goseley Cres. *Harts* —4D **20**
Gough Side. *Bur T* —5J **13**
Gracedieu. *Whit* —1G **29**
Gracedieu Rd. *Whit* —2E **29**
Grafton Rd. *Bur T* —6B **14**
Graham Clo. *Bran* —1H **17**
Grain Warehouse Yd. *Bur T* —4H **13**
Grange Clo. *Ash Z* —4K **25**
Grange Clo. *Bur T* —3G **13**
(in two parts)
Grange Ct. *Egg* —1C **10**
Grange Rd. *Hug* —4E **34**
Grange Rd. *Ibs* —7B **34**
Grange Rd. *Newh* —3F **19**
Grange St. *Bur T* —4G **13**
Grange, The. *Bur T* —4G **13**
Grange, The. *Pack* —7B **26**
Granville Clo. *Hatt* —4C **4**
Granville Ct. Swad —4K **19**
(off Hall Farm Rd.)
Granville Ind. Est. *Chur G* —6A **20**
Granville M. *W'vle* —5B **20**
Granville St. *W'vle* —5B **20**
Grasmere. *Coal* —7J **29**
Grasmere Clo. *Bur T* —6C **14**
Grassy La. *Mea* —4G **31**
Greenacres. *Coal* —1J **35**
Green Clo. *Will* —7H **7**
Greenfield Dri. *L'tn* —3D **22**
Greenfield Rd. *Mea* —5G **31**
Greenfields Dri. *Coal* —1H **35**
Greenhill Rd. *Coal* —1H **35**
Green Lands. *Mid* —1J **19**
Green La. *Burna* —1G **7**
Green La. *Bur T* —7G **9**
Green La. *Over* —5G **23**
(in two parts)
Green La. *Tut* —1B **8**
(in two parts)
Green La. *Whit* —6F **29**
Greenline Bus. Pk. *Bur T* —4G **13**
Greenside Clo. *Doni* —1B **30**
Green St. *Bur T* —6J **13**
Green, The. *Ash Z* —3A **26**
Green, The. *Bret* —4H **15**
Green, The. *Don H* —5D **34**
Green, The. *Stret* —5K **9**
Green, The. *Thri* —2E **28**
Green, The. *Will* —7H **7**
(in two parts)
Greenvale Clo. *Bur T* —7A **14**
Greenway. *Bur T* —3B **14**
Greenwood Rd. *Bur T* —7K **13**
Gregson Clo. *Swad* —3J **19**
Gresley Rovers F.C. —7J **19**
Gresley Woodlands. *Chur G* —6H **19**
Gresley Wood Rd. *Swad & Chur G* —5G **19**
Gretton Av. *Stret* —5K **9**
Griffith Gdns. *Ash Z* —4J **25**
Grizedale Clo. *Bur T* —6C **14**
Grove Pk. *Etw* —3C **6**
Grove Rd. *Whit* —5F **29**
Grove St. *Swad* —4J **19**
Grove, The. *Tat* —7A **12**
Grunmore Dri. *Stret* —4K **9**
Guildford Av. *Mid* —2B **20**
Guild St. *Bur T* —4J **13**
Guinevere Av. *Stret* —4K **9**
Gunby Hill. *N'seal* —7G **23**
Gutteridge St. *Coal* —1D **34**

Hackett Clo. *Ash Z* —3A **26**
Hailbury Av. *Ash Z* —2K **25**
Halcyon Ct. *Bur T* —3G **13**
Halcyon Way. *Bur T* —3G **13**
Halifax Clo. *Hilt* —3K **5**

Hallams Row. *Bur T* —3H **13**
Hall Clo. *B'dby* —1F **25**
Hallcroft Av. *Over* —6J **23**
Hall Farm Clo. *Swad* —4K **19**
Hall Farm Rd. *Swad* —4K **19**
Hallfields Rd. *Stant* —4D **18**
Hall Gdns. *R'stn* —2J **33**
Hall Gate. *Coal* —2K **35**
Hall Green Av. *Stret* —4K **9**
Hall Grounds. *Rol D* —2F **9**
Hall La. *Doni* —2B **30**
Hall La. *Pack* —7A **26**
Hall La. *Whit* —5G **29**
Hall La. *Will* —1J **11**
Hall Rd. *Rol D* —2E **8**
Hall St. *Chur G* —6H **19**
Hall St. *Ibs* —7A **34**
Hamilton Dri. *Swad* —3K **19**
Hamilton Fields. *Bur T* —5B **14**
Hamilton Gro. *Swad* —3A **20**
Hamilton Rd. *Bur T* —5B **14**
Hamilton Rd. *Coal* —2K **35**
Hamilton Ter. *Will* —1J **11**
Hanbury Av. *Hatt* —4C **4**
Hanbury Rd. *A'lw* —1A **12**
Hanchurch Clo. *Bur T* —3B **14**
Handsacre Clo. *Swad* —5G **19**
Harbin Rd. *Walt T* —7C **16**
Harbury St. *Bur T* —1F **13**
Harcourt Rd. *Bran* —7D **12**
Harebell Clo. *W'vle* —4B **20**
Harehedge La. *Bur T* —6G **9**
Hargate Rd. *Stape* —6D **14**
Harlaxton St. *Bur T* —1F **13**
Harlech Way. *Stret* —6J **9**
Harper Av. *Bur T* —7H **9**
Harper Ct. *Bur T* —7H **9**
Harratts Clo. *Ibs* —7B **34**
Harrison Clo. *Bran* —7G **13**
Harrow Clo. *Ash Z* —1K **25**
Harrow Dri. *Bur T* —7H **13**
Harrow Rd. *Mid* —1J **19**
Hartshill Rd. *Harts* —4D **20**
Hartshorne Rd. *W'vle* —5C **20**
Harvest Gro. *Moi* —4D **24**
Harvest Hill. *Mid* —1J **19**
Harvey Rd. *Bran* —7F **13**
Harwood Av. *Bran* —7D **12**
Haslyn Wlk. *Coal* —2J **35**
(in two parts)
Hassall Rd. *Hatt* —4C **4**
Hastings Av. *Whit* —5H **29**
Hastings Rd. *Swad* —5J **19**
Hastings, The. *Ibs* —6B **34**
Hastings Way. *Ash Z* —4B **26**
Hawfield La. *Bur T* —4C **14**
(Chu. Hill St., in two parts)
Hawfield La. *Bur T* —3E **14**
(Sales La.)
Hawkins La. *Bur T* —3J **13**
Hawkins La. Ind. Est. Bur T —2K **13**
(off Hawkins La.)
Hawk's Dri. *Bur T* —4E **14**
Hawksley Dri. *Rol D* —2G **9**
Hawley Rd. *Hug* —4F **35**
Hawthorn Clo. *Coal* —1F **35**
Hawthorn Clo. *Hilt* —4J **5**
Hawthorn Cres. *Bur T* —1A **18**
Hawthorn Cres. *Find* —3K **7**
Hawthorne Clo. *Mea* —4F **31**
Hawthorn Ri. *Newh* —1G **19**
Haydock Clo. *Bran* —1F **17**
Hayes Clo. *Whit* —5G **29**
Hayes, The. *Find* —4K **7**
Hayes, The. *Stret* —3B **4**
Hay Wain La. *Mid* —1J **19**
Hay Wlk. *Bur T* —5K **13**
Hazel Clo. *Mea* —5F **31**
Hazel Clo. *Newh* —3H **19**
Hazel Gro. *Moi* —3E **24**
Hazelwood Rd. *Bur T* —2K **17**
HCM Ind. Est. *Bur T* —3K **13**
Headingley Clo. *Coal* —3H **35**
Hearthcote Rd. *Swad* —6G **19**

Knob Fields. *Cas G* —1F **23**
Knoll, The. *Mid* —2J **19**
Knowles Hill. *Rol D* —3G **9**
Koppe Clo. *Moi* —3E **24**

Laburnum Rd. *Bur T* —2A **18**
Laburnum Rd. *Newh* —2H **19**
Laburnum Way. *Etw* —2D **6**
Ladle End La. *Walt T* —7C **16**
Ladybower Clo. *Swad* —5H **19**
Ladyfields. *Mid* —2A **20**
Ladywell Clo. *Stret* —5K **9**
Lagoona Pk. *Over* —6K **23**
Lakeside Vw. *Whit* —6F **29**
Lancaster Clo. *Coal* —1K **35**
Lancaster Dri. *Hilt* —3K **5**
Lancaster Dri. *Tut* —1A **8**
Lancelot Dri. *Stret* —5K **9**
Langer Clo. *Bran* —2F **17**
Langton Clo. *Whit* —3F **29**
Lansdowne Rd. *Bran* —1E **16**
Lansdowne Rd. *Swad* —5H **19**
Lansdowne Ter. *Bur T* —2J **13**
Larch Rd. *Newh* —1G **19**
Latham Clo. *Bur T* —5D **14**
Lathkill Dale. *Chur G* —6G **19**
Laud Clo. *Ibs* —7A **34**
Launceston Dri. *Hug* —3D **34**
Laurel Gro. *Bur T* —3K **17**
Lawn Av. *Etw* —1D **6**
Lawns Dri. *Newh* —1H **19**
Lawns, The. *Rol D* —2F **9**
Lawrence Clo. *Elli* —6D **34**
Leamington Rd. *Bran* —1D **16**
Leander Ri. *Bur T* —7A **14**
Leawood Rd. *Mid* —1A **20**
Leedhams Cft. *Walt T* —7C **16**
Lees Cres. *Whit* —4H **29**
Legion Dri. *Ibs* —7B **34**
Leicester Rd. *Ash Z & N Pack* —3B **26**
Leicester Rd. *Cole* —6H **27**
Leicester Rd. *Ibs* —6B **34**
Leicester Rd. *Mea* —5G **31**
Leicester Rd. *R'stn* —2K **33**
Leicester Rd. *Whit* —5G **29**
Leicester St. *Bur T* —7H **13**
Leith Clo. *Ash Z* —4C **26**
Lewis Dri. *Bur T* —7G **9**
Leyburn Clo. *Chur G* —7J **19**
Ley Cft. *Hatt* —4B **4**
Leyfields Farm M. *A'lw* —1B **12**
Leys, The. *Newh* —3F **19**
Lichfield Av. *Mid* —3B **20**
Lichfield Rd. *Bar N & Bran* —7A **16**
Lichfield St. *Bur T* —6J **13**
Lilac Gro. *Bur T* —2A **18**
Lily Bank. *Thri* —1D **28**
Limby Hall La. *Swan* —3A **28**
Lime Av. *Mea* —4F **31**
Lime Ct. *Stape* —1K **17**
Lime Gro. *Bur T* —2K **17**
Lime Gro. *Hatt* —3C **4**
Limes, The. *R'stn* —7B **28**
Limestone Clo. *Harts* —5C **20**
Lime Tree Av. *Mid* —1J **19**
Lincoln Rd. *Bur T* —1J **17**
Lincoln Way. *Mid* —3B **20**
Linden Clo. *Ibs* —6A **34**
Linden Way. *Coal* —7D **28**
Linford Cres. *Coal* —1J **35**
Lingfield Rd. *Bran* —1E **16**
Links Clo. *Hug* —4E **34**
Linton Heath. *L'tn* —4F **23**
Linton Rd. *Cas G* —2F **23**
Lit. Burton E. *Bur T* —2J **13**
Lit. Burton W. *Bur T* —3J **13**
Little Clo. *Swad* —3J **19**
Little La. *Pack* —7A **26**
Lit. Thorn Ind. Est. *W'vle* —7C **20**
Locksley Clo. *Ash Z* —2K **25**
Lockton Clo. *Ash Z* —2B **26**
Lodge Clo. *Ash Z* —4K **25**
Lodge Clo. *Etw* —1D **6**

Lodge Hill. *Tut* —3D **8**
Lohengrin Ct. *Stret* —4K **9**
Loire Clo. *Ash Z* —2K **25**
London Rd. *Coal* —1E **34**
Longbow Clo. *Stret* —5G **9**
Longbow Gro. *Stret* —5H **9**
Longcliff Rd. *Coal* —2J **35**
Longfellow Clo. *Bur T* —7J **9**
Longhedge La. *A'lw* —6D **8**
Longlands La. *Find* —4K **7**
Longlands Rd. *Mid* —1A **20**
Long La. *Coal* —7F **29**
Longmead Rd. *Bur T* —1H **13**
Long St. *Bur T* —1K **17**
Lonsdale Rd. *Bran* —7G **13**
Lords Clo. *Coal* —3H **35**
Lordswell Rd. *Bur T* —3D **12**
Loudoun Way. *Ash Z* —4J **25**
Loughborough Rd. *Cole* —2K **27**
Loughborough Rd. *Thri* —2E **28**
Loughborough Rd. *Whit* —3F **29**
Lount La. *A'lw* —5D **8**
Lovatt Clo. *Stret* —4A **10**
Lwr. Church St. *Ash Z* —3B **26**
Lwr. High St. *Tut* —6B **4**
Lwr. Moor Rd. *Cole* —1K **27**
Lwr. Outwoods Rd. *Bur T* —2E **12**
Lwr. Packington Rd. *Ash Z* —4A **26**
Loweswater Gro. *Ash Z* —5B **26**
Lucas La. *Hilt* —3K **5**
Ludgate St. *Tut* —7B **4**
Lullington M. *Over* —6H **23**
Lullington Rd. *Over* —6H **23**
Lyndham Av. *Bur T* —6A **14**
Lyne Ct. *Bur T* —4F **13**
Lynwood Clo. *Bran* —1E **16**
Lynwood Rd. *Bran* —1D **16**

Mackworth Clo. *Newh* —1J **19**
Madras Rd. *Bur T* —4D **14**
Main Rd. *A'lw* —1A **12**
Main St. *Alb V* —7K **19**
Main St. *A'lw* —7B **8**
Main St. *B'dby* —1E **24**
Main St. *Bran* —1D **16**
Main St. *Burna* —1H **7**
Main St. *C'wll* —2A **22**
Main St. *Egg* —1C **10**
Main St. *Etw* —1C **6**
Main St. *Harts* —1E **20**
Main St. *Heat* —7H **33**
Main St. *Hilt* —3G **5**
Main St. *L'tn* —3D **22**
Main St. *Newh* —2F **19**
Main St. *Newt S* —6F **11**
Main St. *Norm H* —4E **32**
Main St. *Oakt* —3D **30**
Main St. *Over* —6J **23**
Main St. *R'stn* —2K **33**
Main St. *Smis* —5J **21**
Main St. *Stape* —7K **13**
Main St. *Stret* —5K **9**
Main St. *Swan* —3C **28**
Main St. *Swep* —7B **32**
Main St. *Tat* —7A **12**
Main St. *Thri* —1E **28**
Main St. *Walt T* —7B **16**
Mallard Clo. *Mea* —6E **30**
Malmesbury Av. *Mid* —2A **20**
Malthouse La. *Fos* —2C **4**
Maltings Ind. Est. *Bur T* —1K **13**
Maltings, The. *Bur T* —3K **13**
  (DE14)
Maltings, The. *Bur T* —6B **14**
  (DE15)
Malvern Av. *Bur T* —6A **14**
Malvern Cres. *Ash Z* —1K **25**
Malvern St. *Bur T* —6A **14**
Mammoth St. *Coal* —1E **34**
Manchester La. *Harts* —2E **20**
Mannings Ter. *Mea* —6F **31**
Mnr. Brook Clo. *Don H* —5D **34**
Manor Clo. *Ash Z* —4B **26**

Manor Clo. *Bur T* —2B **18**
Manor Cres. *Bur T* —2B **18**
Manor Cft. *Bur T* —5K **13**
Manor Dri. *Bur T* —5K **13**
Mnr. Farm M. *Burna* —1G **7**
Manor Rd. *Bur T* —2B **18**
Manor Rd. *Don H* —4C **34**
Manor Rd. *Heat* —7G **33**
Mansfields Cft. *Etw* —1C **6**
Mantle La. *Coal* —7D **28**
Manton Clo. *Newh* —2G **19**
Maple Dri. *Ibs* —6A **34**
Maple Gro. *Bur T* —3K **17**
Maple Rd. *Mid* —2J **19**
Maple Way. *Bran* —7E **12**
Maplewell. *Coal* —1J **35**
Margaret St. *Coal* —1D **34**
Market Pl. *Bur T* —5K **13**
Market Pl. *Whit* —4G **29**
Market St. *Ash Z* —3A **26**
Market St. *Chur G* —6J **19**
Market St. *Coal* —7D **28**
Market St. *Swad* —4J **19**
Marlborough Ct. *Coal* —1D **34**
Marlborough Cres. *Bur T* —7A **14**
Marlborough Sq. *Coal* —1D **34**
Marlborough Way. *Ash Z* —3K **25**
Marlow Dri. *Bran* —7F **13**
Marsden Clo. *R'stn* —7A **28**
Marston Brook. *Hilt* —4K **5**
Marston Clo. *Moi* —4D **24**
Marston La. *Hatt* —5C **4**
Marston La. *Bur T & Hilt* —2F **9**
Marston Old La. *Hatt* —5C **4**
Marston Ri. *Bur T* —7A **14**
Martin Clo. *Whit* —3E **28**
Maryland Ct. *Newh* —1H **19**
Masefield Av. *Mid* —2K **19**
Masefield Clo. *Mea* —7E **30**
Masefield Cres. *Bur T* —1J **13**
Matsyard Path. *Newh* —1G **19**
Matthews Clo. *Ash Z* —3J **25**
Mayfair. *Newh* —2F **19**
Mayfield Dri. *Bur T* —7B **14**
Mayfield Rd. *Bur T* —4B **14**
Maypole Hill. *Mid* —2H **19**
McAdam Clo. *Stape* —5C **14**
McCarthy Clo. *Whit* —4F **29**
Mead Cres. *Bur T* —2B **18**
Meadow Ct. *Bur T* —4A **14**
  (off Meadow Rd.)
Meadow Gdns. *Mea* —7F **31**
Meadow La. *Coal* —1H **35**
Meadow La. *Newh* —3G **19**
  (in two parts)
Meadow La. *Stret* —6B **10**
Meadow Rd. *Bur T* —4A **14**
Meadowside Dri. *Bur T* —4K **13**
Meadowside Leisure Cen. —4K **13**
Meadow Vw. *Hug* —5D **34**
Meadow Vw. *Rol D* —2H **9**
Mdw. View Rd. *Newh* —3G **19**
Meadow Wlk. *Ibs* —6B **34**
Meadow Way. *Newh* —2H **19**
Mead Wlk. *Bur T* —2B **18**
Mear Greaves La. *Bur T* —3C **14**
Mease Clo. *Mea* —6F **31**
Mease, The. *Hilt* —4K **5**
Measham Rd. *Ash Z & Pack* —2J **31**
  (in two parts)
Measham Rd. *Doni* —4A **30**
Measham Rd. *Mea* —7C **30**
Measham Rd. *Moi & Doni* —6C **24**
  (in two parts)
Melbourne Av. *Bur T* —4D **14**
Melbourne Rd. *Ibs* —5A **34**
Melbourne Rd. *R'stn* —4A **34**
Melbourne St. *Coal* —1D **34**
Mellor Rd. *Bran* —1F **17**
Melrose Clo. *Ash Z* —3C **26**
Melrose Rd. *Thri* —1E **28**
Melville Ct. *Etw* —2C **6**
Memorial Sq. *Coal* —1D **34**
Mendip Clo. *Ash Z* —4A **26**

Paddock, The. *Bur T* —3C **14**
Paddock, The. *Rol D* —2F **9**
Paget Rd. *Ibs* —5B **34**
Paget St. *Bur T* —5H **13**
Palmer Clo. *Bran* —7G **13**
Paradise Clo. *Moi* —5D **24**
Pares Clo. *Whit* —4F **29**
Paris Clo. *Ash Z* —2K **25**
Parish Church of St Modwen, The.
　　　　　　　　—5K 13
Park Av. *Chur B* —1A **4**
Park Clo. *Ash Z* —5K **25**
Park Clo. *L'tn* —3D **22**
Park Ct. *Swad* —3K **19**
Parkdale. *Ibs* —7A **34**
Parkers Clo. *B'dby* —1E **24**
Parker St. *Bur T* —2J **13**
Park La. *Tut* —7A **4**
Park Pale, The. *Tut* —1B **8**
Park Rd. *Ash Z* —2A **26**
Park Rd. *Chur G* —6J **19**
Park Rd. *Coal* —1E **34**
Park Rd. *Moi* —7B **24**
Park Rd. *Over* —3G **23**
Park Rd. *Stant* —4D **18**
Park St. *Bur T* —5H **13**
(in two parts)
Park St. *Newh* —2H **19**
Park Vw. *Whit* —4F **29**
Parkway. *Bur T* —7D **12**
Park Way. *Etw* —1D **6**
Parliament St. *Newh* —2G **19**
Parsonwood Hill. *Whit* —3F **29**
Partridge Dri. *W'vle* —5C **20**
Pastures La. *Oakt* —3E **30**
Pastures, The. *New H* —3G **19**
Pastures, The. *Rep* —4K **11**
Patch Clo. *Bur T* —1G **13**
Patrick Clo. *L'tn* —4E **22**
Paulyn Way. *Ash Z* —4J **25**
Peacroft Ct. *Hilt* —3J **5**
Peacroft La. *Hilt* —3J **5**
Peartree Av. *Newh* —1G **19**
Pear Tree Clo. *Harts* —1D **20**
Pear Tree Ct. *Etw* —1C **6**
Pear Tree Dri. *L'tn* —3D **22**
Peel St. *Bur T* —6H **13**
Pegasus Way. *Hilt* —3K **5**
Pegg's Clo. *Mea* —5F **31**
Peggs Grange. *Hug* —4E **34**
Peldar Pl. *Coal* —2J **35**
Penistone St. *Ibs* —6B **34**
Penkridge Rd. *Chur G* —7J **19**
Pennine Way. *Ash Z* —4A **26**
Pennine Way. *Swad* —5H **19**
Pensgreave Rd. *Bur T* —1G **13**
Pentland Rd. *Ash Z* —3C **26**
Percy Wood Clo. *Hilt* —3H **5**
Peregrine Clo. *Bur T* —4E **14**
Peregrine Clo. *Mea* —6F **31**
Perran Av. *Whit* —7H **29**
Pershore Dri. *Bran* —7F **13**
Perth Clo. *Bur T* —5D **14**
Peterfield Rd. *Whit* —6H **29**
Peters Ct. *Hatt* —4C **4**
Pickering Dri. *Elli* —6D **34**
Piddocks Rd. *Stant* —3C **18**
(in two parts)
Pine Clo. *Ash Z* —2C **26**
Pine Clo. *Bran* —7F **13**
Pine Clo. *Etw* —1D **6**
Pine Gro. *Newh* —2G **19**
Pines, The. *Whit* —6H **29**
Pine Wlk. *Cas G* —2F **23**
Pinewood Rd. *Bur T* —2A **18**
Pinfold Clo. *Tut* —1B **8**
Pingle Farm Rd. *Newh* —3G **19**
Pintail Ct. *Mea* —6E **30**
(off Widgeon Dri.)
Piper La. *R'stn* —1A **34**
Pipit Clo. *Mea* —6F **31**
Pisca La. *Heat* —7H **33**
Pithiviers Clo. *Ash Z* —4K **25**
Pitt La. *Cole* —3K **27**

Plover Av. *W'vle* —5C **20**
Plummer Rd. *Newh* —2G **19**
Pollard Way. *R'stn* —7B **28**
Pool St. *Chur G* —6A **20**
Poplar Av. *Mid* —2J **19**
Poplar Av. *Moi* —7B **24**
Poplar Dri. *Mea* —4F **31**
Poplars Rd. *Bur T* —7H **9**
Porter's La. *Find* —3K **7**
(in two parts)
Portland Av. *Bur T* —1F **17**
Portland St. *Etw* —1C **6**
Portway Dri. *Tut* —1B **8**
Postern Rd. *Tat* —3A **12**
Potlocks, The. *Will* —7K **7**
Potters Cft. *Swad* —3H **19**
Prentice Clo. *Moi* —5D **24**
Preston's La. *Cole* —3K **27**
Prestop Dri. *Ash Z* —2J **25**
Prestwood Pk. Dri. *Mid* —3K **19**
Pretoria Rd. *Ibs* —6C **34**
Price Ct. *Bur t* —3E **12**
(in two parts)
Primrose Dri. *Bran* —7F **13**
Primrose Mdw. *Mid* —1J **19**
Princess Av. *L'tn* —4D **22**
Princess Clo. *W'vle* —6C **20**
Princess St. *Bur T* —3H **13**
Princess St. *Cas G* —1G **23**
Princess Way. *Stret* —6K **9**
Prince St. *Coal* —2E **34**
Priorfields. *Ash Z* —4B **26**
(in two parts)
Prior Pk. *Ash Z* —4B **26**
(off Up. Packington Rd.)
Prior Pk. Rd. *Ash Z* —3A **26**
Priory Clo. *Newh* —2H **19**
Priory Clo. *Thri* —1D **28**
Priory Clo. *Tut* —1A **8**
Priory Lands. *Stret* —4K **9**
Provident Ct. *W'vle* —6C **20**

Queens Ct. *Bran* —7G **13**
Queens Dri. *Swad* —2J **19**
Queensland Cres. *Bur T* —5D **14**
Queens Ri. *Tut* —7B **4**
Queen's St. *Mea* —5F **31**
Queen St. *Bur T* —6H **13**
Queen St. *Chur G* —7H **19**
Queen St. *Coal* —2E **34**
Queensway Houses. *Mea* —5F **31**
Quelch Clo. *Hug* —4E **34**
Quorn Clo. *Bur T* —6B **14**
Quorn Cres. *Coal* —2J **35**

Radley Clo. *Ash Z* —1K **25**
Raglan Clo. *Stret* —6J **9**
Rambler Clo. *Newh* —3H **19**
Ramscliff Av. *Doni* —2C **30**
Randall Dri. *Swad* —4J **19**
Rangemore St. *Bur T* —4G **13**
Range Rd. *Ash Z* —3B **26**
Ratcliff Clo. *Ash Z* —3K **25**
Ratcliffe Av. *Bran* —7G **13**
Raven Clo. *Mea* —6E **30**
Ravenslea. *R'stn* —2K **33**
Ravenstone Rd. *Coal* —7B **28**
Ravenstone Rd. *Heat* —7H **33**
Ravenstone Rd. *Ibs* —7K **33**
Ravens Way. *Bur T* —3G **13**
Rawdon Rd. *Moi* —4B **24**
Rawdon Side. *Swad* —4A **20**
Red Burrow La. *Norm H & Pack* —2B **32**
Red Hill La. *Swan & Thri* —4C **28**
Redhill La. *Tut* —1A **8**
Redhill Lodge Rd. *Newh* —1H **19**
Redlands Est. *Ibs* —5C **34**
Redmoor Clo. *Bur T* —4C **14**
Redwood Dri. *Bur T* —7B **14**
Reform Rd. *Ibs* —7B **34**
Regan Rd. *Moi* —5D **24**
Regency Way. *Stret* —6J **9**

Regent Ct. *Chur G* —6J **19**
Regents Pk. Rd. *Bran* —1F **17**
Regent St. *Chur G* —7H **19**
Regs Way. *Bar H* —4J **35**
Rempstone Rd. *Cole & Grif* —2H **27**
Rennes Clo. *Ash Z* —3K **25**
Renshaw Dri. *Newh* —3G **19**
Repton Clo. *Ash Z* —1K **25**
Repton Rd. *Bret* —1B **20**
Repton Rd. *Mea* —5D **30**
Repton Rd. *Newt S* —6F **11**
Repton Rd. *Will* —1H **11**
Reservoir Hill. *Alb V & Moi* —2A **24**
Reservoir Rd. *Bur T* —3E **12**
Resolution Rd. *Ash Z* —2C **26**
Rest Haven. *Swad* —3J **19**
Richmond Ct. *Rep* —4K **11**
Richmond Rd. *Don H & Ibs* —5D **34**
Richmond St. *Bur T* —3H **13**
Ricknild St. *Bran* —7E **12**
Ridgeway Rd. *Bur T* —2K **17**
Ridgway Rd. *Ash Z* —4K **25**
Rink Dri. *Swad* —5J **19**
Risborrow Clo. *Etw* —1F **7**
Rise, The. *Newh* —3G **19**
River Bank, The. *Will* —1J **11**
Riverdale Clo. *Bur T* —2C **14**
River Sence Way. *Hug* —4E **34**
Riverside. *Walt T* —7B **16**
Riverside Cvn. Pk. *Bur T* —1A **14**
Riverside Cen., The. *Bur T* —4K **13**
Riverside Ct. *Mea* —6D **30**
Riverside Dri. *Bran* —2E **16**
Robian Way. *Swad* —4H **19**
Robin Hood Pl. *Chur G* —6K **19**
Robin Rd. *Coal* —2G **35**
Robinson Rd. *Newh* —2G **19**
Robinson Rd. *Whit* —4E **28**
Rochdale Cres. *Coal* —1K **35**
Rockcliffe Clo. *Chur G* —7J **19**
Rockingham Clo. *Ash Z* —4B **26**
Rockland Ri. *Whit* —3G **29**
Roedean Clo. *Ash Z* —4B **26**
Rolleston La. *Tut* —1C **8**
Rolleston Rd. *Rol D* —5G **9**
Romans Cres. *Coal* —1K **35**
Rookery, The. *Heat* —7G **33**
Rope Wlk., The. *Bur T* —6H **13**
Rose Av. *Stret* —4B **10**
Rose Cottage Clo. *Bur T* —6H **13**
Rose Cottage Gdns. *Bur T* —6J **13**
Rosecroft Gdns. *Swad* —6J **19**
Rosedale. *Whit* —2F **29**
Rose Hill. *W'vle* —5B **20**
Roseleigh Cres. *Newh* —2G **19**
Rosemary Cres. *Whit* —5H **29**
Rosemount Rd. *Bur T* —5A **14**
Rose Tree La. *Newh* —1G **19**
Rose Valley. *Newh* —3H **19**
Rosewood Rd. *Bur T* —2A **18**
Rosliston Rd. *Drake & Bur T* —2K **17**
Rosliston Rd. *Walt T* —7C **16**
Rosliston Rd. S. *C'will* —7H **17**
Rossall Dri. *Ash Z* —2K **25**
Rosslyn Rd. *Whit* —5G **29**
Rotherwood Dri. *Ash Z* —2A **26**
Rouen Way. *Ash Z* —3K **25**
Rowan Av. *Coal* —2J **35**
Rowan Clo. *Mea* —4F **31**
Rowan Clo. *Moi* —3E **24**
Rowan Dri. *Ibs* —7A **34**
Rowbury Dri. *Bur T* —5C **14**
Rowena Dri. *Ash Z* —2A **26**
Rowlands, The. *Cole* —4K **27**
Rowley Clo. *Swad* —3A **20**
Rowley Ct. *Swad* —4J **19**
Rowton St. *Bur T* —7G **9**
Rugby Clo. *Ash Z* —1K **25**
Rugby Clo. *Bur T* —7H **13**
Rumsey Clo. *Thri* —1D **28**
Rushby Rd. *Elli* —7F **35**
Rushton Clo. *Tut* —7B **4**
Ruskin Pl. *Bur T* —1J **13**
Russell St. *Bur T* —5J **13**

Russell St. *Swad* —5K **19**
Russet Clo. *Hatt* —4B **4**
Ruston Clo. *Swad* —4J **19**
Rutland Clo. *Bur T* —2J **17**
Rydal Gdns. *Ash Z* —5B **26**
Ryder Clo. *Swad* —6E **18**
Ryeflatts La. *Hatt* —4C **4**
Ryknild Trad. Est. *Bur T* —1K **13**

Sage Dri. *W'vle* —4C **20**
St Aidan's Clo. *Bur T* —7H **9**
St Albans Ct. *Bur T* —7H **9**
St Andrew's Clo. *Thri* —1E **28**
St Andrew's Dri. *Bur T* —6H **9**
St Bernard's Rd. *Whit* —5G **29**
St Catherine's Rd. *Newh* —3G **19**
St Chad's Clo. *Bur T* —6H **9**
St Chad's Rd. *Bur T* —7H **9**
St Christophers Pk. Homes. *Elli* —7F **35**
St Christopher's Rd. *Elli* —7F **35**
St Clares Ct. *Coal* —2F **35**
St David's Ct. *Coal* —1K **35**
St David's Cres. *Coal* —7K **29**
St David's Dri. *Bur T* —6H **9**
St Denys' Cres. *Ibs* —7A **34**
St Edwards Ct. *Newh* —3G **19**
St Faiths Rd. *Coal* —3D **34**
St Francis Clo. *Bur T* —6J **9**
St George's-Hill. *Swan* —2B **38**
St Georges Rd. *Bur T* —2E **12**
St Ives. *Coal* —2J **35**
St James Clo. *Will* —1K **11**
St John's Clo. *Heat* —7G **33**
St John's Clo. *Hug* —4E **34**
St John's Ct. *Bur T* —7H **9**
St John's Dri. *Newh* —3F **19**
St John's Rd. *Bur T* —7H **9**
St Jude's Way. *Bur T* —6H **9**
St Luke's Rd. *Bur T* —6H **9**
St Margarets. *Bur T* —2E **12**
St Marks Rd. *Bur T* —6H **9**
St Martin's Clo. *Bur T* —6G **9**
St Mary's Av. *Don H* —4C **34**
St Mary's Clo. *Newt S* —6F **11**
St Mary's Ct. *Don H* —4C **34**
St Mary's Dri. *Bur T* —6H **9**
St Mary's Dri. *Stret* —4A **10**
St Mary's La. *Coal* —3A **34**
St Matthew's St. *Bur T* —7H **13**
St Michael's Clo. *Ash Z* —4B **26**
St Michael's Clo. *Will* —1J **11**
St Michaels' Dri. *R'stn* —2K **33**
St Michaels Rd. *Bur T* —6J **9**
St Modwen's Clo. *Bur T* —7H **9**
St Modwen's Wlk. *Bur T* —5J **13**
St Patricks Clo. *Bur T* —6H **9**
St Paul's Ct. *Bur T* —4G **13**
St Paul's Sq. *Bur T* —3G **13**
St Paul's St. W. *Bur T* —3G **13**
St Peter's Bri. *Bur T* —6J **13**
St Peter's Ct. *Bur T* —6A **14**
St Peters Retail Pk. *Bur T* —6J **13**
St Peter's St. *Bur T* —6A **14**
St Saviours Rd. *Coal* —2D **34**
St Stephens Ct. *Bur T* —7H **9**
St Stephen's Clo. *W'vle* —4C **20**
St Vincents Clo. *Coal* —3D **34**
Sales La. *Bur T* —4D **14**
Salisbury Av. *Bur T* —4D **14**
Salisbury Dri. *Mid* —2B **20**
Saltersford Valley Picnic Area. —2D **30**
Samson Rd. *Coal* —7E **28**
Sandalwood Rd. *Bur T* —2K **17**
Sandcliffe Pk. *Mid* —1A **20**
Sandcliffe Rd. *Mid* —2A **20**
Sandcroft Clo. *Mid* —3A **20**
Sandford Brook. *Hilt* —4K **5**
Sandhills Clo. *Mea* —6F **31**
Sandhole La. *Whit* —1K **29**
Sandlands, The. *Mid* —2A **20**
Sandown Clo. *Bran* —1F **17**
Sandringham Av. *Bur T* —6B **14**
Sandringham Rd. *Coal* —2G **35**

Sandtop Clo. *B'dby* —1E **24**
Sandtop La. *B'dby* —1E **24**
Sandy La. *C'wll* —2A **22**
Sandypits La. *Etw* —1D **6**
  (in two parts)
Sawpit La. *Hatt* —3B **4**
Saxon Clo. *Bur T* —1A **18**
Saxon Gro. *Will* —1H **11**
Saxon St. *Bur T* —1A **18**
Saxon Way. *Ash Z* —2K **25**
Scalpcliffe Clo. *Bur T* —5A **14**
Scalpcliffe Rd. *Bur T* —4A **14**
School Clo. *Alb V* —7K **19**
School La. *Cole* —1B **28**
School La. *Norm H* —4E **32**
School La. *Rol D* —2G **9**
School La. *Whit* —3E **28**
School M. *Hatt* —4C **4**
School St. *Chur G* —6J **19**
School St. *Moi* —7C **24**
School St. *Oakt* —3D **30**
Scotlands Dri. *Coal* —2E **34**
Scotlands Ind. Est. *Coal* —2F **35**
Scotlands Rd. *Coal* —2E **34**
Scott Clo. *Ash Z* —2K **25**
Scotts, The. *Cas G* —1E **22**
Scropton Old Rd. *Hatt* —5B **4**
Scropton Rd. *Hatt* —4A **4**
Seagrave Clo. *Coal* —1K **35**
Sealey Clo. *Will* —1K **11**
Seals Rd. *Doni* —1B **30**
Seal Vw. *L'tn* —3D **22**
Sealwood La. *L'tn* —4E **22**
Second Av. *Bur T* —6D **12**
Sedgefield Rd. *Bran* —1E **16**
Sefton Clo. *Bur T* —6C **14**
Seventh Av. *Bur T* —6E **12**
Severn Clo. *Stret* —5H **9**
Severn Dri. *Bur T* —4K **13**
Seymour Av. *Bur T* —7K **9**
Shackland Dri. *Mea* —5G **31**
Shady Gro. *Hilt* —3H **5**
Shaef Clo. *Hilt* —3K **5**
Shakespeare Clo. *Swad* —2K **19**
Shakespeare Rd. *Bur T* —1H **13**
Shannon App. *Bur T* —5J **13**
Sharpley Av. *Coal* —7H **29**
Sharpswood Mnr. *W'vle* —4B **20**
Sheffield St. *Bur T* —6H **13**
Shellbrook Clo. *Shell* —3H **25**
Shelley Av. *Bur T* —1J **13**
Shelley Clo. *Bur T* —1J **13**
Shelley Clo. *Mea* —7F **31**
Shelley Rd. *Swad* —3K **19**
Sherbourne Dri. *Ash Z* —2K **25**
Sherbourne Dri. *Bur T* —1F **17**
Sherman Clo. *Hilt* —3K **5**
Sherwood Clo. *Elli* —6E **34**
Shieling, The. *Hatt* —3B **4**
Shipley Clo. *Bran* —7G **13**
Shobnall Clo. *Bur T* —3G **13**
Shobnall Ct. *Bur T* —4G **13**
Shobnall Fields Recreation Ground.
  —3F **13**
Shobnall Leisure Complex. —3F **13**
Shobnall Rd. *Bur T* —3E **12**
Shobnall St. *Bur T* —4G **13**
Shortheath. *Over* —6K **23**
Shortheath Rd. *Moi* —6A **24**
Short St. *Bur T* —1K **17**
Shotwoodhill La. *Rol D* —1E **8**
Shrewsbury Rd. *Stret* —4A **10**
Shrewsbury Wlk. *Thri* —1E **28**
Shrubbery, The. *W'vle* —6D **20**
Siddalls St. *Bur T* —4C **14**
Sidings Ind. Est. *Bur T* —3K **13**
Silk Mill La. *Tut* —7B **4**
Silkstone Clo. *Chur G* —7J **19**
Silverhill Clo. *Stret* —5H **9**
Silver Clo. *Oakt* —4D **30**
Silver St. *Whit* —5F **29**
Sinai Clo. *Bur T* —3E **12**
Siskin Dri. *Mea* —6E **30**
Sixth Av. *Bur T* —6E **12**

Ski Centre. —5K **19**
Skinner's La. *Whit* —4G **29**
Skylark Clo. *Mea* —6E **30**
Slackey La. *Moi* —5K **23**
Slack La. *Harts* —2E **20**
Slade Clo. *Etw* —1D **6**
Slaybarns Way. *Ibs* —6B **34**
Small Thorn Pl. *W'vle* —6C **20**
Smedley Clo. *Ash Z* —4J **25**
Smedley Ct. *Egg* —1C **10**
Smisby Ct. *Ash Z* —3A **26**
Smisby Rd. *Ash Z* —7K **21**
Smith Ct. *Whit* —4E **28**
Smith Cres. *Coal* —1K **35**
Smithy La. *Ash Z* —2D **26**
Snibston Discovery Park. —1C **34**
Snibston Dri. *Coal* —7B **28**
Snipe Clo. *Coal* —1D **34**
Snipe Clo. *Hug* —3C **34**
Solney Clo. *Swad* —5G **19**
Somerset Rd. *Bur T* —2J **17**
Sorrel Dri. *W'vle* —4B **20**
S. Broadway St. *Bur T* —7H **13**
South Clo. *B'dby* —1E **24**
South Dri. *Newh* —2G **19**
South Hill. *Rol D* —2J **9**
South La. *Bar H* —6K **35**
South Leicester Ind. Est. *Elli* —6F **35**
S. Oak St. *Bur T* —7G **13**
South St. *Ash Z* —3A **26**
South St. *Elli* —6E **34**
South St. *W'vle* —6C **20**
S. Uxbridge St. *Bur T* —7G **13**
Sovereign Dri. *Bran* —7G **13**
Speedwell Clo. *Coal* —1F **35**
Speedwell Clo. *W'vle* —4C **20**
Spencer Clo. *Stret* —5J **9**
Spinney Clo. *Ash Z* —4A **26**
  (off Stuart Way)
Spinney Lodge. *Rep* —4K **11**
Spinney Rd. *Bran* —7E **12**
Spinney, The. *Hug* —4D **34**
Spring Clo. *Cas G* —7H **19**
Spring Cottage Rd. *Over* —5K **23**
Springfarm Rd. *Bur T* —6B **14**
Springfield. *Thri* —1F **29**
Springfield Clo. *Ibs* —7B **34**
Springfield Clo. *Mid* —2J **19**
Springfield Rd. *Etw* —2C **6**
Springfield Rd. *Swad & Mid* —3J **19**
Springfield Vs. *Bur T* —6B **14**
Springhill. *Harts* —1D **20**
Spring La. *Pack* —7B **26**
Spring La. *Swan & Coal* —5C **28**
Spring Rd. *Ibs* —6C **34**
Spring St. *Cas G* —1H **23**
Spring Ter. Rd. *Bur T* —6A **14**
Springwood Farm Rd. *Mid* —1J **19**
Square, The. *Bret* —4J **15**
Square, The. *Oakt* —3D **30**
Squirrel Wlk. *Over* —6J **23**
Stafford St. *Bur T* —2J **13**
Stainsdale Grn. *Whit* —7H **29**
Staley Av. *Ash Z* —5J **25**
Stamford Dri. *Coal* —7K **29**
Stamps Clo. *Bur T* —4D **14**
Standard Hill. *Coal* —3C **34**
Standing Butts Clo. *Walt T* —7C **16**
Stanhope Glade. *Bret* —7H **15**
Stanhope Grn. *Bret* —6F **15**
Stanhope Rd. *Swad* —5J **19**
Stanhope St. *Bur T* —6C **14**
Stanleigh Rd. *Over* —5J **23**
Stanley Clo. *W'vle* —5C **20**
Stanley St. *Bur T* —5H **13**
Stanley St. *Swad* —4K **19**
Stanton Rd. *Bur T* —7A **14**
Stapenhill Rd. *Bur T* —6A **14**
Station Dri. *Moi* —5C **24**
Station Hill. *Swan* —5B **28**
Station La. *Walt T* —7B **16**
Station M. *Ash Z* —4A **26**
Station Rd. *Ash Z* —4A **26**
Station Rd. *Bar N* —7A **16**

Station Rd. *Hatt & Fos* —5B **4**
Station Rd. *Hug* —5D **34**
Station Rd. *Ibs* —7A **34**
Station Rd. *Rol D* —2G **9**
Station Rd. *W'vle* —6C **20**
Station St. *Bur T* —4H **13**
Station St. *Cas G* —1G **23**
Station Wlk. *Stret* —5K **9**
Stenson Rd. *Coal* —7E **28**
Stephenson Ind. Est. *Coal* —7B **28**
Stephenson Way. *Coal* —6B **28**
Stephens Rd. *Bran* —7G **13**
Stewart Clo. *Bran* —2F **17**
Stinson Way. *Whit* —4E **28**
Stirling Ri. *Stret* —6J **9**
Stonehaven Clo. *Coal* —1K **35**
Stone Row. *Coal* —7E **28**
Stoneydale Clo. *Newh* —3G **19**
Stoney La. *Cole* —2K **27**
Stour Clo. *Hilt* —5K **5**
Stowe Clo. *Ash Z* —2K **25**
Strathmore Clo. *Coal* —2K **35**
Strawberry La. *B'dby* —1E **24**
Stretton Dri. *Coal* —1K **35**
Stretton Vw. *Oakt* —4C **30**
Stuart Way. *Ash Z* —4A **26**
Suffolk Rd. *Bur T* —2J **17**
Sunningdale Clo. *Stret* —5H **9**
Sunnyside. *Ibs* —7A **34**
Sunnyside. *Newh* —1F **19**
Sun St. *W'vle* —6C **20**
Sussex Rd. *Bur T* —2J **17**
Sutton La. *Etw* —1C **6**
Sutton La. *Hatt* —3D **4**
Sutton La. *Hilt* —1H **5**
Swadlincote La. *Cas G* —7E **18**
Swadlincote Rd. *W'vle* —5A **20**
Swainspark Ind. Est. *Over* —2J **23**
Swallow Dale. *Thri* —2E **28**
Swallow Rd. *W'vle* —5C **20**
Swan Ct. *Bur T* —5J **13**
(off Orchard St.)
Swan Ct. *Bur T* —4A **14**
(DE15)
Swannington Heritage Trail. —5B **28**
Swannington Rd. *Coal* —1A **34**
Swannington St. *Bur T* —1G **13**
Swannington Tower. —2A **28**
Swannymote Rd. *Whit* —3H **29**
Swan Wlk. *Bur T* —5J **13**
Swan Way. *Coal* —2G **35**
Sweethill. *Moi* —4D **24**
Swepstone Rd. *Heat* —7D **32**
Swepstone Rd. *Mea* —5H **31**
Swift Clo. *W'vle* —5C **20**
Swifts Clo. *Ibs* —6B **34**
Swimming Pool. —2E **8**
Swinfen Clo. *Elli* —6D **34**
Swithland Rd. *Coal* —2K **35**
Sycamore Av. *Newh* —1H **19**
Sycamore Clo. *Bur T* —3K **17**
Sycamore Clo. *Etw* —1D **6**
Sycamore Clo. *Ibs* —7A **34**
Sycamore Clo. *L'tn* —4E **22**
Sycamore Ct. *Will* —1J **11**
Sycamore Dri. *Ash Z* —2C **25**
Sycamore Dri. *Moi* —3E **24**
Sycamore Rd. *Bur T* —3K **17**
Sycamore Rd. *Coal* —2H **35**
Sydney St. *Bur T* —1J **13**

Tailby Dri. *Will* —1H **11**
Talbot La. *Swan & Whit* —2C **28**
Talbot Pl. *Doni* —2B **30**
Talbot St. *Chur G* —6H **19**
Talbot St. *Whit* —3E **28**
Tamworth Rd. *Ash Z* —5K **25**
Tamworth Rd. *Mea* —7B **30**
Tandy Av. *Moi* —4E **24**
Tanner's La. *Rep* —3J **11**
Tan Yd. *Swan* —4C **28**
Tara St. *Bar H* —6J **35**
Tarquin St. *Stret* —4K **9**

Tatenhill La. *Bran* —1C **16**
Tatenhill La. *Tat* —7A **12**
Tavistock Clo. *Hug* —4D **34**
Taylor Clo. *Moi* —5D **24**
Teal Clo. *Coal* —2G **35**
Tean Clo. *Bur T* —6B **14**
Telmah Clo. *Stret* —5J **9**
Templars Way. *Whit* —4G **29**
Temple Clo. *Bur T* —7J **9**
Temple Hill. *Whit* —3G **29**
Tennyson Av. *Swad* —2K **19**
Tennyson Clo. *Mea* —6E **30**
Tennyson Rd. *Bur T* —7J **9**
Tenth Av. *Bur T* —7D **12**
Tern Av. *W'vle* —5C **20**
Third Av. *Bur T* —6E **12**
Thirlmere. *Coal* —1K **35**
Thirlmere Gdns. *Ash Z* —5B **26**
Thomas Rd. *Whit* —4E **28**
Thornborough Rd. *Coal* —7D **28**
Thorndale. *Ibs* —7A **34**
Thornescroft Gdns. *Bur T* —1G **17**
Thornewill Dri. *Stret* —5A **10**
Thornham Gro. *Ibs* —6B **34**
Thornley St. *Bur T* —1H **13**
Thorn St. *W'vle* —6C **20**
Thorn St. M. *W'vle* —6C **20**
Thornton Clo. *Coal* —1K **35**
Thorntop Clo. *B'dby* —1E **24**
Thorntree Clo. *R'stn* —7A **28**
Thorn Tree La. *Bret* —7G **15**
(in two parts)
Thorpe Clo. *Stape* —6D **14**
Thorpe Downs Rd. *Chur G* —7J **19**
Thrift Rd. *Bran* —7G **13**
Thrushton Clo. *Find* —4K **7**
Ticknall Rd. *Harts* —1E **20**
Tideswell Grn. *Newh* —3F **19**
Tinsell Brook. *Hilt* —4J **5**
Tintagel Clo. *Stret* —4K **9**
Tithe Clo. *Thri* —1D **28**
Tiverton Av. *Whit* —7H **29**
Top Mdw. *Mid* —1J **19**
Torrance Clo. *Bran* —2F **17**
Torrington Av. *Whit* —7H **29**
Totnes Clo. *Hug* —4D **34**
Totnes Clo. *Stret* —7J **9**
Toulmin Dri. *Swad* —4J **19**
Toulouse Pl. *Ash Z* —3K **25**
Tourist Info. Cen. —3A **26**
(Ashby-de-la-Zouch)
Tourist Info. Cen. —5J **13**
(Burton upon Trent)
Tourist Info. Cen. —1C **34**
(Coalville)
Tournament Way. *Ash Z* —1K **25**
Tower Gdns. *Ash Z* —3K **25**
Tower Rd. *Bur T* —5C **14**
Tower Rd. *Harts* —2D **20**
Townsend La. *Don H* —5C **34**
Trent Av. *Will* —1J **11**
Trent Bri. *Bur T* —4K **13**
Trent Bri. *Coal* —3H **35**
Trent Clo. *Will* —1K **11**
Trent Ind. Est. *Bur T* —3K **13**
Trent La. *Newt S* —6F **11**
Trent St. *Bur T* —6H **13**
Trent Ter. Bur T —4K 13
(off Bridge St.)
Tressall Rd. *Whit* —6H **29**
Trevelyan Clo. *Bur T* —5D **14**
Trinity Clo. *Ash Z* —3K **25**
Trinity Ct. *Ash Z* —3A **26**
Trinity Gro. *Swad* —5J **19**
Tristram Gro. *Stret* —4K **9**
Troon Clo. *Stret* —5H **9**
Truro Clo. *Mid* —3B **20**
Trusley Clo. *Bran* —1G **17**
Tudor Clo. *Ash Z* —4A **26**
Tudor Hollow. *Stret* —6J **9**
Tudorhouse Clo. *Newh* —1H **19**
Tudor Way. *Newh* —2H **19**
Turnbury Clo. *Bran* —1F **17**
Turolough Rd. *Whit* —2F **29**

Station Rd.—Warren La.

Tutbury Castle. —6A 4
(remains of)
Tutbury Clo. *Ash Z* —4B **26**
Tutbury Crystal. —7B 4
Tutbury Mus. —7B 4
Tutbury Rd. *Rol D & Bur T* —4E **8**
Twayblade. *Bran* —7G **13**
Tweentown. *Don H* —5D **34**
Twentylands. *Rol D* —2J **9**
Twyford Clo. *Coal* —1K **35**
Twyford Clo. *Swad* —6G **19**
Twyford Clo. *Will* —1K **11**
Twyford Rd. *Will* —7J **7**
Tynefield Ct. & M. *Etw* —3C **6**
Tythe, The. *Mid* —1J **19**

Uldale Gro. *Chur G* —7K **19**
Ulleswater Cres. *Ash Z* —5B **26**
Underhill Wlk. *Bur T* —5J **13**
Union Pas. *Ash Z* —3A **26**
Union Rd. *Swad* —3J **19**
Union St. *Bur T* —5J **13**
Unity Clo. *Chur G* —7J **19**
Uplands Rd. *Mea* —6F **31**
Up. Church St. *Ash Z* —3B **26**
Up. Packington Rd. *Ash Z* —5B **26**
Uppingham Dri. *Ash Z* —2K **25**
Utah Clo. *Hilt* —3K **5**
Uttoxeter Rd. *Hatt & Fos* —2A **4**
Uxbridge Pleasure Ground. —6G **13**
Uxbridge St. *Bur T* —6H **13**

Vale Rd. *Harts* —5D **20**
Vale Rd. *Mid* —2J **19**
Valley Ri. *Swad* —3H **19**
Valley Rd. *Ibs* —7A **34**
Valley Rd. *Over* —6H **23**
Valley Way. *Whit* —4E **28**
Vancouver Dri. *Bur T* —4D **14**
Vaughan St. *Coal* —2D **34**
Verdon Cres. *Coal* —1J **35**
Vere Clo. *Will* —1J **11**
Vernon Ter. *Bur T* —3H **13**
Vicarage Clo. *B'dby* —7F **21**
Vicarage Clo. *Bur T* —3C **14**
Vicarage Fld. Bur T —6A 14
(off Stapenhill Rd.)
Vicarage Gdns. *Swad* —4K **19**
Vicarage La. *Pack* —7A **26**
Vicarage Rd. *Swad* —4K **19**
Vicarage Rd. *W'vle* —6B **20**
Vicarage St. *Whit* —4G **29**
Victoria Clo. *Whit* —4E **28**
Victoria Cres. *Bur T* —1H **13**
Victoria Rd. *Bur T* —3H **13**
Victoria Rd. *Coal* —1E **34**
Victoria Rd. *Ibs* —5B **34**
Victoria St. *Bur T* —3H **13**
Victoria Vs. *Newh* —2H **19**
Viking Bus. Cen. *W'vle* —5C **20**
Violet La. *Bur T* —7A **14**
Violet Way. *Bur T* —7A **14**
Vulcan Ct. *Coal* —7E **28**
Vulcan Way. *Coal* —7E **28**

Waggon La. *Bret* —6G **15**
Wainwright Rd. *Hug* —4E **34**
Wakefield Av. *Tut* —7A **4**
Wakefield Dri. *Whit* —4F **29**
Wakelyn Clo. *Hilt* —3H **5**
Walford Rd. *Rol D* —2J **9**
Walker Rd. *Bar H* —6K **35**
Walker St. *Bur T* —6G **13**
Wall Rd. *Bran* —7F **13**
Walnut Clo. *Newh* —3H **19**
Walton Clo. *Swad* —6H **19**
Walton Rd. *Drake* —3H **17**
Warren Clo. *Stret* —5K **9**
Warren Dri. *L'tn* —3C **22**
Warren Hills Rd. *Coal* —6K **29**
Warren La. *Bran* —1E **16**